studio d A1

Deutsch als Fremdsprache

Sprachtraining

von
Rita Maria Niemann
sowie
Dong Ha Kim

studio d A1
Deutsch als Fremdsprache
Sprachtraining

Herausgegeben von Hermann Funk

Im Auftrag des Verlages erarbeitet von Rita Niemann sowie Dong Ha Kim
unter Mitarbeit von Silke Demme, Hermann Funk und Christina Kuhn

In Zusammenarbeit mit der Redaktion:
Andrea Finster und Dagmar Garve
Nicole Abt (Bildredaktion)
Gunther Weimann (Projektleitung)

Illustrationen: Andreas Terglane
Layout und technische Umsetzung: Satzinform, Berlin
Umschlaggestaltung: Klein & Halm, Berlin

Das Lehrwerk **studio d** erscheint in zwei Ausgaben: einer dreibändigen und einer fünfbändigen.
Zu jedem Band gibt es ein Sprachtraining. Diese Ausgabe bietet Ihnen zusätzliches Übungs-
material zu den Einheiten des A1-Bandes. **studio d** orientiert sich eng an den Niveaustufen des
Gemeinsamen europäischen Referenzrahmens. Band 1 führt zur Niveaustufe A1, Band 2 zu A2
und der dritte Band führt Sie zum Zertifikat Deutsch.

Weitere Kursmaterialien:
Kurs- und Übungsbuch ISBN 978-3-464-20707-9
Audio-CD ISBN 978-3-464-20711-6
Audio-Kassetten ISBN 978-3-464-20710-9
Vokabeltaschenbuch ISBN 978-3-464-20713-0
Video ISBN 978-3-464-20726-0
DVD ISBN 978-3-464-20831-1
Unterrichtsvorbereitung (Print) ISBN 978-3-464-20732-1
Unterrichtsvorbereitung (interaktiv) ISBN 978-3-464-20746-8

www.cornelsen.de

Die Links zu externen Webseiten Dritter, die in diesem Lehrwerk angegeben sind, wurden
vor Drucklegung sorgfältig auf ihre Aktualität geprüft. Der Verlag übernimmt keine Gewähr
für die Aktualität und den Inhalt dieser Seiten oder solcher, die mit ihnen verlinkt sind.

1. Auflage, 7. Druck 2011

Alle Drucke dieser Auflage sind inhaltlich unverändert und können im Unterricht nebeneinander
verwendet werden.

© 2006 Cornelsen Verlag, Berlin

Druck: Himmer AG, Augsburg

ISBN 978-3-464-20708-6

 Inhalt gedruckt auf säurefreiem Papier aus nachhaltiger Forstwirtschaft.

Inhalt

1 **Texte und Themen.** Ordnen Sie zu.

Olympia – Stefano Baldini gewinnt Goldmedaille

Athen – Der Italiener Stefano Baldini gewinnt den olympischen Marathonlauf in Athen. Die Silbermedaille geht an Mebrahtom Keflezighi aus den USA. Vanderlei Lima aus Brasilien holt bei dem Rennen auf der historischen Strecke von Marathon nach Athen Bronze.

1

GLS SPRACHENZENTRUM

Finden Sie fremde Länder und Kulturen interessant?

Dann sind Sie bei uns an der richtigen Adresse! In unserem Winterprogramm finden Sie Sprachkurse zu günstigen Preisen.

Lernen Sie an unserer Schule Englisch, Französisch, Spanisch, Chinesisch, Russisch oder Arabisch! Alle Kurse beginnen im September und enden im Dezember.

Information: 0251/6775447

2

Diese Woche im Angebot

Frucht- & Multivitaminsaft
100 % Saft, reich an Vitamin C, zur Stärkung der Abwehrkräfte
1-l-Flasche
€ 1,69

Jacobs Krönung Light, Free oder **Mild**
je 500-g-Packung
€ 2,79

Ofenfrische Pizza
€ 2,39

Babydream Baby-Pflegeöl oder **Baby-Shampoo**
je 250 ml
€ 0,89

4

Ristorante · Pizzeria AQUILA BEI ANTONIO

Hobrechtstr. 3
12043 Berlin

Neue Karte Stand 0305

Die beste Pizza der Stadt!
624 39 21
624 93 34

3

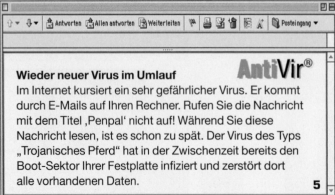

Wieder neuer Virus im Umlauf AntiVir®

Im Internet kursiert ein sehr gefährlicher Virus. Er kommt durch E-Mails auf Ihren Rechner. Rufen Sie die Nachricht mit dem Titel ‚Penpal' nicht auf! Während Sie diese Nachricht lesen, ist es schon zu spät. Der Virus des Typs „Trojanisches Pferd" hat in der Zwischenzeit bereits den Boot-Sektor Ihrer Festplatte infiziert und zerstört dort alle vorhandenen Daten.

5

Samstag **3.8.2005**
Kulturkalender

Theater am Markt
20.00 Uhr
Das Symphonieorchester präsentiert beliebte Opernarien von Giuseppe Verdi mit Peter Meier, Bariton, Lola Moreno, Sopran und Dennis Schwarz, Tenor.
Dirigent: Steve O'Connor

Karten im Vorverkauf:
€ 50.00; Studenten € 35.00
Keine Abendkasse

6

4 Supermarkt ■ Musik ■ Computer ■ Restaurant ■ Sprachschule ■ Sport

2 **Zahlen buchstabieren.** Ergänzen Sie die Lücken.

1. dre _i_ _ß_ _i_ _g_   5. t .... en ....

2. hun ....t   6. ach ....

3. sec .... g   7. si .... z .... n

4. si .... i ....   8. z .... f

3 **Zahlen lesen.** Schreiben Sie die Antworten in Zahlen.

1. ■ Wie ist die Kursnummer vom Deutschkurs?
   ◆ Der Kurs hat die Nummer einhunderteins.   _101_........................

2. ■ Kennen Sie die Vorwahl von Mannheim?
   ◆ Ja, das ist null sechs zwei eins.   ....

3. ■ Wie heißt deine neue Adresse?
   ◆ Schillerstraße achtunddreißig.   ....

4. ■ Wir möchten zahlen, bitte.
   ◆ Moment. ... Das macht sechzehn Euro siebzig.   .... , ...

5. ■ Wie ist die Telefonnummer von Maria?
   ◆ Vierundsiebzig sechsunddreißig zweiundachtzig.   ....

4 **Zahlen finden.** Wo ist zwölf? Markieren Sie die Felder. Wie geht es weiter?

plus ist +   *minus* ist −   *mal* ist x   *durch* ist /

START

sechs plus sechs	vierundzwanzig durch zwei	zwanzig minus neun	eins plus zehn	acht mal drei
sieben mal sechs	neun plus drei	drei mal fünf	dreizehn minus zwei	achtzehn plus drei
zehn plus drei	siebzehn minus fünf	drei mal vier	zehn durch zwei	zehn plus vier
acht mal zwei	elf plus zwei	achtundvierzig durch vier	dreißig minus achtzehn	zwanzig durch fünf
eins plus dreizehn	neunzehn minus fünf	zehn mal zwei	zehn plus zwei	sieben plus fünf

5 **Wörter lernen.** Welches Wort passt nicht?

1. Buch   bestellen – ~~lernen~~ – schreiben – lesen
2. Wörter   schreiben – lesen – hören – spielen
3. Deutsch   kommen – lernen – sprechen – studieren
4. Dialog   hören – spielen – bezahlen – lesen
5. bestellen   Orangensaft – Telefonnummer – Milchkaffee – Tee
6. schreiben   Grammatik – Satz – Wort – Text
7. lernen   Wörter – Grammatik – Rechnung – Deutsch

6 **Kreuzworträtsel.** Ergänzen Sie die Sätze und schreiben Sie die Wörter
in das Rätsel. Wie heißt das Lösungswort?

1. ■ Was möchtest du ....._trinken_...? ◆ Kaffee.

2. Ich .... bei Siemens.

3. ■ Hier, der Kaffee, bitte. ◆ ....!

4. Vier minus zwei ist ....

5. ■ .... kommen Sie? ◆ Aus China.

6. Zusammen oder ....?

7. ■ .... Tag, Maria! ◆ Hallo, Julian.

8. Kommst du .... Spanien?

9. Wie ist die Telefon .... von Ana?

10. Hallo, mein .... ist Tom.

11. Ich .... Hicham.

1	T	R	I	N	K	E	N		

Lösungswort:

....

7 **Personalpronomen.** Ergänzen Sie.

Im Café

■ Hallo! Das sind Stefan und
Annika.

◆ Hallo! ....._Ich_... bin Farida.

Woher kommt ....?

■ .... kommen aus

Schweden. Und woher bist

...................?

◆ .... komme aus Brasilien.

Im Deutschkurs

■ Guten Tag! .... bin Frau Sommer, Ihre

Deutschlehrerin. Und wie heißen ....?

◆ .... heiße Lena Borissowa.
Und das ist mein Mann Vladimir.

■ Herr und Frau Borissowa, woher

kommen ....?

◆ .... kommen aus Russland.

■ Und wer ist das?

◆ Das ist Herr Gül. .... kommt aus
der Türkei.

8 **Fragen und Antworten üben. Ergänzen Sie die Fragewörter.**
Schreiben Sie dann die Antworten.

arbeitet– ~~Biologie~~ – er – fantastisch – findet – ich – kommt – Milchkaffee – heiße – ~~er~~
sie – sie – bei Siemens – Julia – trinken – wir – aus der Türkei – die Stadt – ~~studiert~~

1. *Was* .... studiert Robert?   *Er studiert Biologie.*

2. .... findet Milena Filipova Wien?   ....

3. .... arbeitet Andrea Fiedler?   ....

4. .... kommt Cem Gül?   ....

5. .... heißt du?   ....

6. Claudia und Peter, ... trinkt ihr?   ....

9 **Konjugation. Schreiben Sie die Verben auf eine Karte. Manchmal gibt es zwei**
Möglichkeiten.

bist – komme – trinkt – kenne – arbeitet – ist – hörst – seid – heiße – nehmen –
möchtest – kommst – wohne – ~~antwortet~~ – möchten – sind – zahlen

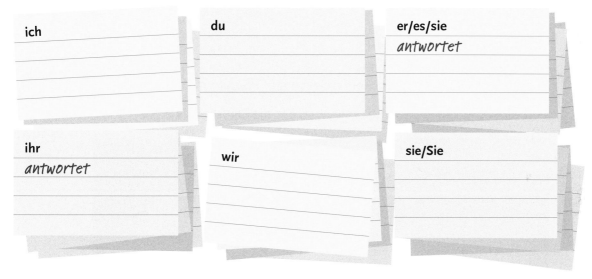

ich

du

er/es/sie
antwortet

ihr
antwortet

wir

sie/Sie

10 **Verben üben. Ergänzen Sie die Sätze.**

sein – kommen – studieren – arbeiten – leben – lernen

1. Ich .... *bin* .... Maria. Ich .... *komme* .... aus Deutschland.

   Ich .... seit vier Semestern Philosophie.

2. Mein Name .... Ute Bauer. Ich ....

   mit meiner Familie in Frankfurt und .... Lehrerin

   an einer Sprachschule.

3. Und ich .... Klaus Erdmann. Ich ....

   seit 1999 bei Siemens und .... in München.

4. Ich .... Liu-Mei und .... aus China.

   Ich .... Deutsch mit *studio d*.

11 **Sätze verbinden. Was passt zusammen? Verbinden Sie und schreiben Sie die Sätze.**

Peter arbeitet **1**
Ihr kommt **2**
Du studierst **3**

a in München.
b bei Siemens.
c aus China.
d an der Universität.
e mit Petra zur Party.
f seit zwei Semestern Biologie.

Peter arbeitet *in München.* ....

Peter arbeitet ....

Peter arbeitet ....

Ihr kommt ....

Ihr kommt ....

Du studierst ....

Du studierst ....

Du studierst ....

12 **Kommunikation**

a) Wer sagt was? Ordnen Sie die Sätze den Fotos zu.

b) Ordnen Sie die Sätze und schreiben Sie die Dialoge ins Heft.

	a	b
Wir möchten bezahlen.	X	
1 Guten Tag! Was möchten Sie trinken?		
Also Eistee und ein Glas Wein.		
Zusammen, bitte.		
Ich nehme ein Glas Wein. Und was trinkst du?		
Das macht 6,20 Euro.		
Zusammen oder getrennt?		
Wiedersehen.		
Eistee.		
Danke. Auf Wiedersehen.		
6,50 Euro. Bitte.		

1 **Menschen und Texte.** Wer macht was? Lesen Sie die Texte und kreuzen Sie an.

Karin Naumann kommt aus Berlin. Sie ist Single und unterrichtet seit zwei Jahren Biologie, Sport und Französisch an einer Schule in Potsdam. Das ist eine Stadt in Brandenburg. Im Moment lernt sie an einer Sprachschule Spanisch. Sie möchte an der deutschen Schule in Madrid arbeiten. Sie interessiert sich sehr für spanische Kultur und findet Madrid fantastisch.

Peter Winsley ist Ingenieur und kommt aus England. Er ist seit zwei Jahren verheiratet und wohnt mit seiner Frau **Kate** in Berlin. Kate ist Journalistin. Sie spricht Deutsch und Französisch. Peter macht am Wochenende einen Intensivsprachkurs und spricht auch schon gut Deutsch. Peter und Kate möchten Kinder haben. Aber im Moment ist für beide der Beruf sehr wichtig. Die Winsleys finden Berlin interessant. Sie gehen in die Museen und in Konzerte und Opern. Sie lieben klassische Musik.

Tan **Hwee Lin** ist 21 und kommt aus China. Sie studiert seit vier Semestern an der Universität in Jena Chemie. Sie spricht sehr gut Deutsch und lernt jetzt Englisch. Hwee Lin möchte nach dem Studium wieder bei ihrer Familie in Shanghai leben. Das ist eine sehr moderne Stadt in China. Mit dem Chemiestudium und den Sprachen Deutsch und Englisch kann sie in ihrer Heimat eine gute Arbeit finden.

Manolo López Martín kommt aus Santiago de Chile. Er lebt seit zwölf Jahren mit seiner deutschen Freundin **Susanne** in Köln. Sie haben seit vier Monaten ein Kind und wollen im Sommer heiraten. Manolo importiert für viele Restaurants in Köln Wein aus Chile, und Susanne ist Webdesignerin. Beide hören gern Musik. Manolo mag Tangos, aber Susanne findet Beethoven und Mozart gut.

Karin	Peter	Kate	Hwee Lin	Manolo	Susanne	
X	☐	☐	☐	☐	☐	lernen eine Fremdsprache.
☐	☐	☐	☐	☐	☐	sind nicht verheiratet.
X	☐	☐	☐	☐	☐	ist Lehrerin.
☐	☐	☐	☐	☐	☐	haben kein Kind.
☐	☐	☐	☐	☐	☐	leben im Ausland.
☐	☐	☐	☐	☐	☐	möchte in ihrer Heimat leben.
☐	☐	☐	☐	☐	☐	finden klassische Musik schön.

2 **Nomen.** Ordnen Sie die Buchstaben. Ergänzen Sie den Artikel und die Pluralform.

1. Ü T R   *die*   *Tür*   die   *Türen*

2. Ü L F L R E   ....   die ....

3. I D L B   ....   die ....

4. U H B C   ....   die ....

5. F A T L E   ....   die ....

6. F H T E   ....   die ....

7. A H T E C S   ....   die ....

8. C S W M A M H   ....   die ....

9. H S L T U   ....   die ....

3 **Nomen.** Welche Nomen passen zum Artikel? Kreuzen Sie an und schreiben Sie die markierten Buchstaben in die Lösung. Wie heißt der Satz?

1. der	2. das	3. die
▨ Bild	▨ Lernplakat	▨ Stadt
✗ Löwe	▨ Farbe	▨ Kreide
▨ Herkunft	▨ Heft	▨ Haus
▨ Bleistift	▨ Papier	▨ Hausaufgabe
▨ Pause	▨ Stuhl	▨ Tourist
▨ Telefon	▨ Kaffee	▨ Papier
▨ Wort	▨ Handy	▨ Arbeit
▨ Fernseher	▨ Wörterbuch	▨ Pause
▨ Getränk	▨ Kind	▨ Tasche
▨ Zahl	▨ Füller	▨ Lehrerin

Lösung: 1. *W* ....   2. ....   3. ....

4 **Artikel.** Bestimmt oder unbestimmt? Ergänzen Sie, wenn nötig, den Artikel.

1. ▪ Ist das ..... *eine* .... Tasche?

    ◆ Ja, das ist .... Tasche von Frau Schiller.

2. ▪ Sind das ...... / ...... Hefte?

    ◆ Nein, das sind .... Zeitungen.

3. ▪ Ist das .... Auto von Anna?

    ◆ Nein, das ist .... Auto von Martin.

4. ▪ Ist das .... Löwe?

    ◆ Nein, das ist doch kein Löwe! Das ist .... Hund von Tom.

5. ▪ Ist das .... Lampe?

    ◆ Ja, das ist .... Lampe.

6. ▪ Ist .... Goethe-Institut .... Sprachschule?

    ◆ Ja. Es ist auch .... Kulturinstitut.

5 **Plural.** Finden Sie die richtigen Endungen. Eine Pluralform passt nicht.

1. Endung: ¨-e
   a) ~~Computer~~
   b) Stuhl
   c) Schwamm
   d) Stadt

2. Endung: ....
   a) Heft
   b) Tisch
   c) Bleistift
   d) Fernseher

3. Endung: ....
   a) Kind
   b) Feld
   c) Bild
   d) Papier

4. Endung: ....
   a) Wort
   b) Baum
   c) Mann
   d) Buch

5. Endung: ....
   a) Name
   b) Kaffee
   c) Frage
   d) Tafel

6. Endung: ....
   a) Rechnung
   b) Frau
   c) Lernplakat
   d) Tür

7. Endung: ....
   a) Mädchen
   b) Videorecorder
   c) Overheadprojektor
   d) Fenster

8. Endung: ....
   a) Füller
   b) Radiergummi
   c) Foto
   d) Kuli

6 **Komposita aus zwei Nomen.** Ergänzen Sie die Nomen und Artikel.

1. _die Milch_ + _der Kaffee_ = _der Milchkaffee_

2. .... + ... = ...

3. .... + ... = ...

4. .... + ... = ...

5. .... + ... = ...

7 *Ein* oder *kein*? Ergänzen Sie die Artikel, wenn nötig.

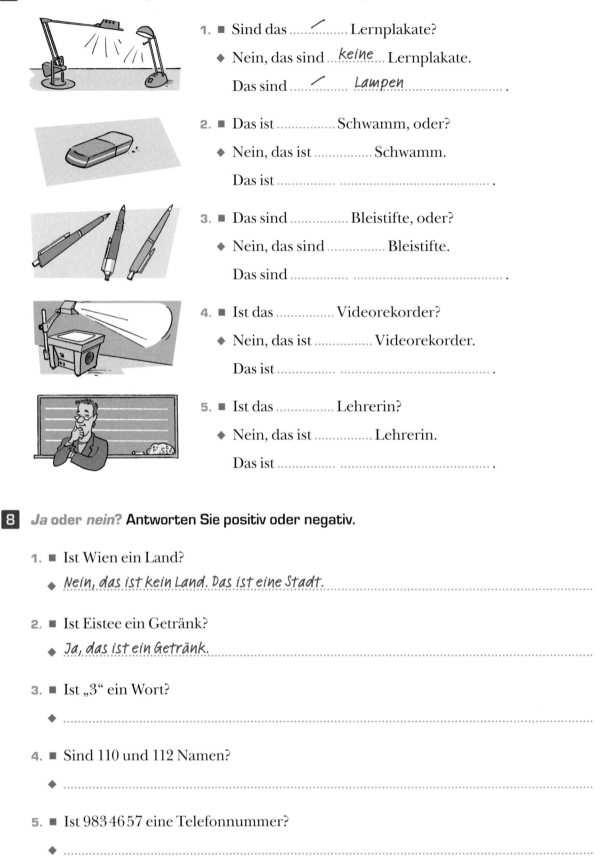

1. ■ Sind das ..../....... Lernplakate?

   ◆ Nein, das sind ...*keine*... Lernplakate.

      Das sind ..../....... *Lampen* .

2. ■ Das ist .... Schwamm, oder?

   ◆ Nein, das ist .... Schwamm.

      Das ist ....

3. ■ Das sind .... Bleistifte, oder?

   ◆ Nein, das sind .... Bleistifte.

      Das sind ....

4. ■ Ist das .... Videorekorder?

   ◆ Nein, das ist .... Videorekorder.

      Das ist ....

5. ■ Ist das .... Lehrerin?

   ◆ Nein, das ist .... Lehrerin.

      Das ist ....

8 *Ja* oder *nein*? Antworten Sie positiv oder negativ.

1. ■ Ist Wien ein Land?

   ◆ *Nein, das ist kein Land. Das ist eine Stadt.* ....

2. ■ Ist Eistee ein Getränk?

   ◆ *Ja, das ist ein Getränk.* ....

3. ■ Ist „3" ein Wort?

   ◆ ....

4. ■ Sind 110 und 112 Namen?

   ◆ ....

5. ■ Ist 983 46 57 eine Telefonnummer?

   ◆ ....

6. ■ Sind die Schweiz und Polen Städte?

   ◆ ....

9 **Kommunikation im Kurs.** Ergänzen Sie die Buchstaben und kreuzen Sie an: Wer sagt was? Kursteilnehmer/in (KT), Kursleiter/in (KL) oder beide?

	KT	KL
1. Sp_i_e_l_en S_ie_ _d_ie Di_a_l_o_g_e_.	☐	X
2. Da.... ve..st...he ....ch ....ic...t.	☐	☐
3. K.....nn....n Si.. d..s ....itt.... w....ed...rho....en?	☐	☐
4. Sc..........ei........n S........ d..sa.... di.... ....af.........	☐	☐
5. B.............stab.........en Sie d....s.	☐	☐
6. H.....re..... ....e.	☐	☐
7. ....echen Sie ....i...te ....aut....r.	☐	☐
8. E.........sc.............digu....g, k.....nn....n w....r ....ne P.............e ma....h....n?	☐	☐

10 **Sätze im Unterricht.** Was passt? Ordnen Sie zu.

1. ☐ Lauter bitte!
2. ☐ Ich habe eine Frage.
3. _c_ Ich bin fertig.
4. ☐ Wo finde ich Übung 8, Seite ...?
5. ☐ Können Sie mir helfen?
6. ☐ Kann ich zur Toilette?

a

b

c

d

e

f

3 Städte – Länder – Sprachen

1 **Schulen in Europa.** Lesen Sie den Text und ergänzen Sie die Sätze.

Partnerschulen in Europa

Viele Schulen in Deutschland haben eine Europaperspektive. Sie haben Partnerschulen und planen internationale Internetprojekte und Programme mit anderen Schulen in Europa. In Deutschland lernen alle Schülerinnen und Schüler eine oder zwei Fremdsprachen in der Schule.

Erich Hoffmann ist Lehrer für Französisch und Spanisch an einer Schule in Bremen. Seine Schule hat Partnerschulen in ganz Europa und in den USA. Herr Hoffmann fährt im Sommer mit 22 Schülern aus dem Spanischkurs nach Alicante. Sie lernen schon seit zwei Jahren Spanisch und die Schülerinnen und Schüler von der Partnerschule in Alicante lernen Deutsch.

Peter ist im Spanischkurs von Herrn Hoffmann. In Spanien wohnt er bei Antonios Familie und geht auch mit Antonio in die Schule. Antonio ist Peters Lernpartner. Sie schreiben E-Mails und machen zusammen Projekte im Internet auf Deutsch oder auf Spanisch. Peter sagt: „Das Europaprogramm ist super!"

Peter – Deutsch – Erich Hoffmann – Lernpartner – ~~Viele Schulen in Deutschland~~ – alle Schüler – nach Alicante

1. *Viele Schulen in Deutschland* haben Partnerschulen in anderen Ländern in Europa.

2. .... lernen in Deutschland eine Fremdsprache.

3. .... arbeitet an einer Schule.

4. Der Spanischkurs fährt im Sommer ....

5. Antonio lernt in Spanien ....

6. Antonio ist der .... von Peter.

7. .... findet das Europaprogramm gut.

2 **Elf Städte in Deutschland, Österreich und der Schweiz. Finden Sie die Namen und ergänzen Sie die Sätze.**

A	O	H	A	N	N	O	V	E	R	B	U	M	M	O
G	R	A	Z	K	U	I	E	R	O	R	M	P	E	L
I	L	M	N	O	K	N	R	F	B	E	R	L	I	N
R	H	B	I	P	E	N	I	U	I	L	E	I	L	A
F	O	U	L	L	R	S	N	R	S	I	B	N	Z	L
B	E	R	N	L	W	B	A	T	Z	N	H	Z	E	B
A	W	G	O	E	I	R	L	X	L	U	S	E	R	O
F	R	A	N	K	F	U	R	T	D	D	I	Z	M	N
E	T	Z	A	R	E	C	T	U	L	L	W	I	E	N
E	Z	O	R	T	N	K	O	R	M	E	L	I	N	D

1. *Hannover* .... liegt südöstlich von Bremen.

2. .... ist in Österreich. Die Stadt liegt südwestlich von Wien.

3. .... ist eine Stadt in Tirol. Das ist auch in Österreich.

4. .... ist die Hauptstadt von Deutschland. Die Stadt liegt im Nordosten.

5. .... liegt in Norddeutschland, im Norden von Hannover und nordöstlich von Bremen.

6. .... ist eine Stadt westlich von Weimar.

7. .... ist die Hauptstadt von der Schweiz. Die Stadt liegt südlich von Basel.

8. .... war bis 1990 eine Hauptstadt und liegt südlich von Köln.

9. In Deutschland gibt es zwei Städte mit dem Namen .... Eine liegt am Main und die andere östlich von Berlin an der Oder.

10. .... liegt nordöstlich von Salzburg in Oberösterreich.

11. Die Hauptstadt von Österreich heißt .... Sie liegt im Osten von Österreich.

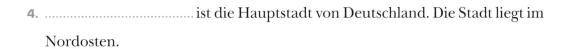

3 **Wie heißen die Länder?** Trennen Sie und schreiben Sie vier Sätze.

1. daslandliegtineuropaundistkeinnachbarvondeutschlandesliegtsüdwestlich
vonfrankreichesgibtvieltourismusweinundfußballdiehauptstadtheißtmadridu
ndliegtimzentrum

Das Land heißt ....

2. daslandliegtauchineuropaesliegtsüdlichvonösterreichundderschweizpizzakommt
ausdemlandinderhauptstadtromistdaskolosseum

Das Land heißt ....

4 *Sein.* Ergänzen Sie die passende Verbform im Präsens oder Präteritum.

1. ■ Wo ....*warst*........ du gestern?

   ◆ Ich .... in Berlin.

   ■ Und wo ....*bist*........ du heute?

   ◆ Heute .... ich auch in Berlin.

2. ■ .... ihr gestern im Konzert?

   ◆ Ja, das .... super!

3. ■ Hallo Ute, ... du aus München?

   ◆ Nein, ich .... aus Bremen. .... du schon mal in Bremen?

   ■ Nein, ich .... noch nie in Bremen.

4. ■ Hallo Alfiya und Lena, wo .... ihr gestern? Die Party .... super!

   ◆ Wir .... in Berlin und Potsdam. .... ihr schon mal da?

   Das .... interessante Städte.

5. ■ .... Sie schon mal in London?

   ◆ Ja, ich .... schon mal in London. Ich .... in der Tate Gallerie.

   ■ .... das ein Museum?

   ◆ Ja.

5 W-Fragen. **Ergänzen Sie die Fragewörter und ordnen Sie die Antworten zu.**

Was .... trinkst du? **1**		**a** Biologie.
.... kommt Alfiya? **2**		**b** In Peking. Das ist in China.
Ming, ... lebt deine Familie? **3**		**c** Ich war im Konzert.
.... alt bist du? **4**		**d** Sie kommt aus Kasachstan.
.... warst du gestern? **5**		**e** In Südostasien.
.... ist das? Kennst du sie? **6**		**f** Ich nehme ein Wasser.
.... geht's? **7**		**g** Gut. Danke.
.... liegt Indonesien? **8**		**h** Ich bin 25.
.... studierst du? **9**		**i** Ja, das ist Sabine.

6 Frage oder Aussagesatz? **Ergänzen Sie ein Fragezeichen (?) oder einen Punkt (.).**

1. Kommst du aus Warschau ....?....

2. Liegt Mainz in der Nähe von Wiesbaden ....

3. Ich spreche etwas Deutsch ....

4. Das Kolosseum ist in Rom ....

5. Wo ist das ....

6. Ist das in Italien ....

7. Das verstehe ich nicht ....

8. Wie bitte ....

7 **Satzfrage oder W-Frage?** Schreiben Sie Fragesätze.

1. ■ Ahmed, *trinkst du Bier* ....?
   ◆ Nein. Ich trinke kein Bier.

2. ■ *Wo* ...., Eva und Michael?
   ◆ Wir wohnen in der Wolfhager Straße.

3. ■ Herr Kim, ...?
   ◆ Nein, ich komme nicht aus China. Ich komme aus Korea.

4. ■ ...., Silva und Carol-Ann?
   ◆ Ja, wir kennen Jena. Das ist eine Stadt in Deutschland.

5. ■ Laura, ...?
   ◆ Ich spreche Italienisch, Englisch und Spanisch.

6. ■ Herr und Frau Schiller, ...?
   ◆ Wir waren gestern in Amsterdam.

7. ■ ....?
   ◆ Der Kreml ist in Moskau.

8. ■ ...., Marisa und Antonio?
   ◆ Wir kommen aus Chile.

8 *Sprechen.* Ergänzen und konjugieren Sie.

Grammatik	
ich	*spreche* ....
du	....
er/es/sie	....
wir	....
ihr	....
sie/Sie	....

Minimemo

du, er, es, sie:

e zu *i*

1. ■ *Sprechen* .... Sie Deutsch?
   ◆ Ja, etwas.

2. ■ Welche Sprache .... man in Peru?
   ◆ Spanisch und Ketschua.

3. Günther und Satomi .... Japanisch.

4. ■ .... du auch Englisch?
   ◆ Ja.

5. Die Familie Scarlatti .... Italienisch und Deutsch.

6. ■ Wieviele Sprachen .... ihr in Singapur?
   ◆ Oh, viele!

7. Dieter und ich .... Englisch.

8. Ich .... jetzt auch Französisch.

9 **Steffi und Maurizio.** Ergänzen Sie die Verben. Achten Sie auf die Verbform.

Das ....*sind*....... Steffi und Maurizio Giordano. Sie l.............................¹ in

Deutschland, in Potsdam. Das i.........................² eine Stadt bei Berlin. Steffi

k.....................³ aus Deutschland. Sie s....................⁴ vier Sprachen: Deutsch,

Italienisch, Englisch und Französisch. Der Mann von Steffi i........................⁵ aus

Italien, aus Bergamo. Das l.....................⁶ im Norden. Er l......................⁷ schon

20 Jahre in Deutschland und w........................⁸ seit drei Jahren mit Steffi in Potsdam.

Er s..................⁹ Italienisch und sehr gut Deutsch und er l.......................¹⁰

jetzt Englisch.

10 **Über Orte sprechen.** Ergänzen Sie die Dialoge. Achten Sie auf formell (Sie) und informell (du/ihr).

1. ■ Eva, warst ....*du schon mal in*........ Toledo?

   ◆ Nein. ....*Wo ist denn*........ das?

   ■ ......*Das ist in*...... Spanien.

2. ■ Woher ...., Wei Jie?

   ◆ .... Guangzhou.

   ■ Guangzhou? Wo .... ?

   ◆ Das .... in der Provinz Guangdong in China.

3. ■ Tom und Sue, ... ?

   ◆ .... aus Adelaide.

   .... in Adelaide, Ute?

   ■ Nein. Wo .... ?

   ◆ .... Südaustralien.

4. ■ ...., Frau Govindasami?

   ◆ .... aus Madras.

   ■ .... das?

   ◆ .... eine Stadt in Indien.

1 **Was ist eine Wohngemeinschaft?**
Lesen Sie den Text. Richtig oder falsch?
Kreuzen Sie an.

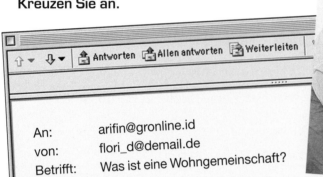

| Antworten | Allen antworten | Weiterleiten |

An: arifin@gronline.id
von: flori_d@demail.de
Betrifft: Was ist eine Wohngemeinschaft?

Hallo Arifin,

vielen Dank für deine E-Mail. Wie geht's denn so? Ich finde dieses E-Mail-Projekt super!
Dein Deutschkurs am Goethe-Institut ist sicher interessant. Du schreibst, du hast
Probleme mit dem Akkusativ. Hoffentlich macht Deutsch auch Spaß :-)

Also, hier ist meine Antwort auf deine Frage: „Was ist eine Wohngemeinschaft?" Das ist
eine Wohnform in Deutschland. Viele Studenten finden das gut. Sie haben zusammen
eine 2–5-Zimmer-Wohnung. Das ist nicht so teuer. Die Zimmer können unterschiedlich
groß sein.

Ich lebe hier auch in einer Wohngemeinschaft. Die Wohnungen in Köln sind sehr teuer.
Ich wohne mit drei anderen Studenten zusammen. Sie sind meine Freunde. Jeder hat
ein Zimmer. Mein Zimmer ist klein, aber es hat einen Balkon. Das Wohnzimmer ist für
alle. Es ist groß und es gibt Sessel, ein Sofa, einen Wohnzimmertisch und einen Fernseher. Die Küche ist nicht so groß, aber das ist kein Problem. Viele Studenten essen
nicht zu Hause. Morgens ist es immer chaotisch. Alle möchten schnell ins Badezimmer!

Gibt es in Jakarta auch Wohngemeinschaften? Wie leben die Studenten?

Komm doch mal nach Deutschland! Du kannst hier schlafen.

Viele Grüße
dein Florian

	richtig	falsch
1. Arifin lebt in Jakarta.	X	
2. Florian lernt Deutsch.		
3. Florian lebt in einer Wohngemeinschaft.		
4. Florian hat ein Zimmer mit Balkon.		
5. Die Küche ist zu klein. Das ist ein Problem.		
6. Mit dem Badezimmer gibt es keine Probleme.		
7. In Deutschland kann Arifin bei Florian schlafen.		

2 **Zimmer.** Was passt zusammen? Schreiben Sie die Wörter.

Wohn
Küchen
Kinder
Schlaf
Bade   zimmer
Flur
Haus
Arbeits

Wohnzimmer ....

....

....

....

....

....

....

....

3 **Komposita.** Welche Wörter kennen Sie? Verbinden Sie und schreiben Sie die Wörter
in die Tabelle.

		der	**das**
Spiel	Tisch	....	....
Deutsch	Saft	*Deutschkurs*	*Deutschbuch* ....
Orangen	Buch	....	....
Studenten	Regal	....	....
Milch	Kurs	....	....
Computer	Kaffee	....	....
Bücher	Schrank	....	....
Telefon	Wohnheim	....	....
Wohnzimmer	Platz	....	....

4 **Adjektive.** Ordnen Sie die Buchstaben und finden Sie das Gegenteil.

k-e-i-n-l	....	1	a	l-a-t-u	....
c-ö-s-h-n	....	2	b	l-i-g-i-l-b	....
h-i-g-r-u	....	3	c	z-u-k-r	*kurz* ....
k-l-d-e-u-n	....	4	d	s-h-s-ä-i-c-h l	....
g-l-a-n	*lang*	5	e	g-ß-o-r	....
e-u-t-e-r	....	6	f	l-h-e-l	....

5 *Meine, deine, ihre – mein, dein, sein*

a) **Maskulinum *(m)*, Femininum *(f)*
oder Neutrum *(n)*? Plural *(Pl.)*?
Kreuzen Sie an.**

	m	n	f	Pl.
1. Schule	■	■	X	■
2. Auto	■	■	■	■
3. Büro	■	■	■	■
4. Kinder	■	■	■	■
5. Freunde	■	■	■	■
6. Zimmer	■	■	■	■
7. Lehrerin	■	■	■	■
8. Mann	■	■	■	■

b) **Ergänzen Sie die Possessivartikel.**

1. Das ist Klaus.
Das war ....*seine*....... Schule.

2. Das sind wir.
Das war .... Auto.

3. Das bin ich.
Das war .... Büro.

4. Seid ihr das?
Waren das .... Kinder?

5. Bist du das?
Waren das .... Freunde?

6. Das ist Ute.
Das war .... Zimmer.

7. Das sind Keiko und Natascha.
Das war .... Lehrerin.

8. Sind Sie das?
War das .... Mann?

6 **Possessivartikel. Ergänzen Sie.**

1. Wie viele Zimmer hat ....*Ihre*.......... Wohnung, Herr Neumann?

2. Jutta, ist das .... Heft?

3. Gehen wir heute Abend ins Konzert? Wo sind denn .... Karten?

4. Kirsten hat ein Auto, aber .... Auto ist zu klein für den Umzug.

5. Kinder, wo sind .... Bücher?

6. Herr und Frau Chaptal und .... Kinder kommen aus Brüssel.

7. Das Zimmer von Wolfgang ist klein. .... Bücherregal steht im Flur.

7 Artikelwörter. **Kreuzen Sie an: bestimmt oder unbestimmt, Nominativ oder Akkusativ? Ordnen Sie dann die Artikel zu.**

die – das – ~~eine~~ – die – einen – einen – ein –
das – die – eine – der

	bestimmt	unbestimmt	Nominativ	Akkusativ
1. Ich suche in Kassel _eine_ Wohnung.	☐	☒	☐	☒
2. Daniel bestellt _____ Kaffee.	☐	☐	☐	☐
3. _____ Kaffee schmeckt sehr gut hier!	☐	☐	☐	☐
4. Kennen Sie _____ Leute dort?	☐	☐	☐	☐
5. Wann beginnt heute _____ Konzert von „Pur"?	☐	☐	☐	☐
6. Frau Gabler, ich habe _____ Frage.	☐	☐	☐	☐
7. Meine Eltern haben _____ Haus in München.	☐	☐	☐	☐
8. Wie findest du _____ Uni hier?	☐	☐	☐	☐
9. Wie heißt _____ Hauptstadt von England?	☐	☐	☐	☐
10. Entschuldigung, hast du _____ Kuli für mich?	☐	☐	☐	☐
11. Wo ist _____ Auto von Peter?	☐	☐	☐	☐

8 Mein Traumhaus. **Ergänzen Sie die unbestimmten Artikel im Nominativ oder Akkusativ.**

> **! Tipp**
> Im Plural gibt es keinen unbestimmten Artikel!

Mein Traumhaus ist groß und alt. Es hat vier Zimmer, _eine_ ¹ Küche,

_____² Badezimmer und _____³ Flur. Im Wohnzimmer sind

_____⁴ Sofa, zwei Sessel, _____⁵ Tisch und _/_ ⁶

Bücherregale. Die Küche ist klein, aber das Esszimmer ist groß. Da stehen

_____⁷ Tisch und _____⁸ Schrank. Im Arbeitszimmer habe ich

_____⁹ Schreibtisch, _____¹⁰ Computer und _____¹¹

Regal. Das Schlafzimmer ist ruhig und dunkel. Da steht nur _____¹² Bett.

Das Haus hat auch _____¹³ Garten. Der Garten ist groß. Im Garten stehen

_____¹⁴ Bäume. Es gibt nur _____¹⁵ Problem: Dieses Haus ist

viel zu teuer. Das ist leider alles nur _____¹⁶ Traum!

9 **Das Zimmer von Susanne.** Ergänzen Sie den Text. Welches Zimmer ist das, a oder b?

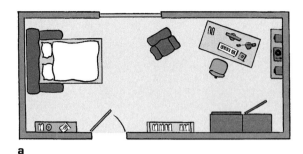

a

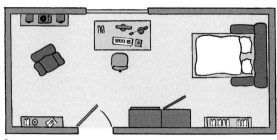

b

Susanne ist Tischlerin. Sie le *bt*........................[1] mit zwei Freundinnen in einer

Wohnge........................[2]. Das ist nicht so te........................[3]. Ihr Zimmer ist

gr........................[4] und he........................[5]. Es gi........................[6] ein

Fe........................[7], aber ke........................[8] Balkon. Links von der Zimmertür ist

ein Re........................[9] und ein Sofabett. Rechts sind zwei Sc........................[10] und

noch ein Bücherregal. Sie ha........................[11] auch einen ....tisch[12]

und einen St........................[13]. Ihr Se........................[14] ist am Fe........................[15].
Das ist ein guter Platz zum Lesen.

10 *Schlafen.* Ergänzen Sie die Verbformen.

1. Ich ....*schlafe*........ gern.

2. Mein Vater .... nicht viel.

3. ■ Wo .... du?
   ◆ Hier. Das ist mein Schlafzimmer.

4. Viele Leute .... gern im
   Luxushotel.

5. Ihr .... im Unterricht?
   Das finde ich nicht gut.

6. ■ Wo .... wir in Köln? ◆ Bei Florian. Ist doch klar!

Grammatik		
ich	....
du	....
er/es/sie	....
wir	*schlafen*
ihr	....
sie/Sie	....

11 **Sätze ordnen.** Bringen Sie die Wörter in die richtige Reihenfolge und achten Sie auf die richtige Verbform.

1. ins Konzert – heute – Abend – gehen – du – ?
   Gehst du heute Abend ins Konzert?........................

2. Schlafzimmer – wie groß – sein – das – ?
   ....

3. gestern – du – wo – sein – ?
   ....

4. einen – Zimmer – haben – Balkon – euer – auch – ?
   ....

5. unsere – wie – du – Wohnung – finden – ?

....

6. das – stehen – im Wohnzimmer – Bücherregal – ?

....

7. Fernseher – haben – du – keinen – ?

....

12 **Die neue Wohnung.** Eva zeigt Marisa ihre neue Wohnung. Welche Antworten von Eva passen? Markieren Sie den Buchstaben und schreiben Sie ihn in die Lösung.

Marisa

- Das ist deine neue Wohnung? Die hat aber einen langen Flur. Da rechts ist das Wohnzimmer?

- Kochst du nicht zu Hause? Hier gibt es ja keinen Herd!

- Naja, du kannst ja in der Kantine essen. Und welches Zimmer ist das?

- Ja, sehr schön. Sind die Sessel und das Sofa neu?

- Das finde ich schön. Ich habe kein Regal. Du hast ja auch einen Balkon.

- Gern, aber zuerst möchte ich dein Schlafzimmer sehen.

- Okay. Hast du Orangensaft?

Eva

- M Ja, das ist mein Wohnzimmer. Schön hell, oder?
- W Nein, das ist die Küche. Sie ist ziemlich groß. Der Tisch und die Stühle sind alt. Du kennst sie schon.

- O Ach, ich habe im Moment kein Geld für einen Herd. Der Umzug war sehr teuer.
- U Natürlich habe ich einen Herd. Hier. Er ist ganz neu.

- R Das ist mein Schlafzimmer. Die Möbel kennst du ja schon.
- H Das ist mein Wohnzimmer. Schön hell, oder?

- T Das Sofa ist schon alt, aber die Sessel sind neu.
- N Nein, die sind schon ein Jahr alt. Aber das Bücherregal ist neu.

- E Ja, das ist toll. Wir können draußen sitzen. Möchtest du etwas trinken?
- A Ja. Er ist neu und sehr modern.

- N Das geht nicht. Das Schlafzimmer ist zu chaotisch. Komm, wir trinken einen Saft.
- M Das Zimmer ist sehr klein und dunkel. Das finde ich nicht so gut.

...

Lösungswort: .....W..... ....

1 **Ich wohne in ...** Wo wohnen Sie? Schreiben Sie Sätze.

Ich wohne in Unna, in der Nähe von Dortmund.
Das ist in Nordrhein-Westfalen.

Ich komme aus ... und arbeite in ...
Das ist bei ...

Ich war in ... Jetzt wohne ich in ...

2 **Wichtige Telefonnummern. Lesen Sie und ergänzen Sie die Telefonnummer.**

1. Sie brauchen einen Arzt: ....

2. Ihre EC-Karte ist weg:

   ....

3. Ihr Kind hat eine Vergiftung:

   ....

4. Sie oder Ihr/e Partner/in haben ein Problem.
   Sie brauchen Hilfe: ....

5. Das Auto fährt nicht: ....

6. Ihr Telefon geht nicht: ....

Verkehr	🚗 ✈ 🚃
Taxi (Taxifunk)	44 33 22
Zentrale Zugauskunft	118 61
Zentrale Flughafenauskunft	0180 / 500 01 86
Pannenhilfe (ADAC)	0180 / 222 22 22

Notfallnummern	✚
Ärztlicher Bereitschaftsdienst	31 00 31
Giftnotruf	192 40
Krisendienst	390 63 10

Kartenverlust	
Mastercard	069 / 793 31 9 19
EC-Karte	069 / 74 09 87

Sonstiges	
Telekom-Störungsannahme	0800 / 330 20 00
Zentrales Fundbüro	75 60 31 01

3 **Wohnungssuche**

a) Wohnungsanzeigen. Es gibt viele Abkürzungen. Verbinden Sie.

a Westend, 2 Zi., 76 qm, EG, Kü., Bad, 420 € + NK

b Danckelmannstr., 1. OG, 35 qm, Bad, Bk., neu renoviert, 310 €

c Mitte, 3 Zi., 78 qm, DG, kein Aufzug, sonnig, 660 €

d City, NB, Kü., Bad, Bk., ZH, 4 Zi., 110 qm, 1000 €

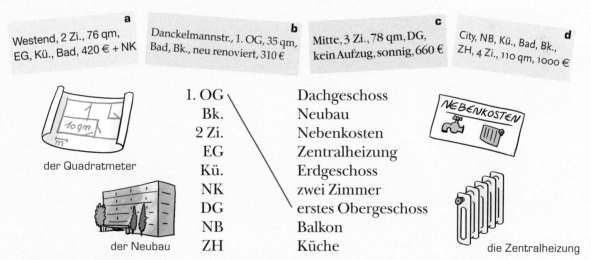

der Quadratmeter

der Neubau

die Zentralheizung

1. OG — Dachgeschoss
Bk. — Neubau
2 Zi. — Nebenkosten
EG — Zentralheizung
Kü. — Erdgeschoss
NK — zwei Zimmer
DG — erstes Obergeschoss
NB — Balkon
ZH — Küche

NEBENKOSTEN

b) Welche Wohnung passt? Ordnen Sie zu.

1. ▨ Susanne, Adriana und Sina sind Studentinnen. Sie möchten zusammen wohnen und suchen eine 3- oder 4-Zimmer-Wohnung. Jede kann 250 Euro zahlen.

2. ▨ Frau Hanselmann möchte allein leben. Sie sucht eine kleine, schöne Wohnung. Sie soll nicht zu teuer sein und einen Balkon haben.

3. ▨ Peter und Heike Malinowski leben in München und haben eine moderne 2-Zimmer-Wohnung. Sie bekommen bald ein Baby und suchen eine große Wohnung für maximal 1000 Euro. Sie möchten aber in der City bleiben.

5 Termine

1 **Was macht Frau Bosch um …? Lesen Sie den Text. Ergänzen Sie die Uhrzeiten und ordnen Sie die Sätze.**

06:00 22:10 14:00 20:00 07:45 07:00 06:15 07:20 17:15 13:20

Heute ist Sonntag. Der Tag war sehr schön. Ich hatte frei. Aber morgen ist wieder Montag. Ich bin Lehrerin und habe jeden Montag bis ein Uhr Unterricht. Ich stehe immer um sechs Uhr auf und gehe gleich ins Bad. Dann frühstücke ich von Viertel nach sechs bis Viertel vor sieben. Beim Frühstück höre ich Radio und lese die Zeitung. Ich habe nicht viel Zeit. Um sieben fahre ich mit dem Fahrrad zur Schule. Ein bisschen Sport ist immer gut. Ich komme um zwanzig nach sieben in der Schule an, gehe ins Lehrerzimmer und mache noch Kopien für den Englischunterricht in der Klasse 8 A. Die Klasse schreibt morgen einen Vokabeltest. Der Unterricht beginnt um Viertel vor acht. Alle Stunden dauern fünfundvierzig Minuten. Um zwanzig nach eins bin ich wieder zu Hause. Ich esse etwas, korrigiere von zwei bis fünf Hausaufgaben und bereite den Unterricht für Dienstag vor. Um Viertel nach fünf kommt meine Freundin Petra, und wir machen von halb sechs bis halb sieben im Fitnessstudio Sport. Danach gehe ich nach Hause. Um halb acht treffe ich Stefan. Das ist mein Freund. Wir gehen in die Pizzeria Aquila. Um zehn komme ich nach Hause und gehe dann gleich schlafen. Am Dienstag gibt es wieder viel Arbeit!

1. 06:00 Die Lehrerin steht auf.

2. .... Sie fährt mit dem Fahrrad zur Schule.

3. .... Sie ist wieder zu Hause und es gibt Mittagessen.

4. .... Ihre Freundin kommt und sie gehen zum Sport.

5. .... Sie ist wieder zu Hause und geht ins Bett.

6. .... Sie frühstückt, hört Radio und liest die Zeitung.

7. .... Sie korrigiert Hausaufgaben und bereitet den Unterricht vor.

8. .... Sie macht im Lehrerzimmer Kopien.

9. .... Sie isst mit Stefan eine Pizza.

10. .... Ihr Unterricht beginnt.

2 **Wie spät ist es?** Ordnen Sie zu.

13:00	1		a	Es ist Viertel vor vier.
00:00	2		b	Es ist Mitternacht.
03:45	3		c	Es ist ein Uhr.
20:15	4		d	Es ist fünf vor halb zwei.
23:35	5		e	Es ist kurz vor zehn.
01:25	6		f	Es ist fünf nach halb zwölf.
19:02	7		g	Es ist kurz nach sieben.
21:58	8		h	Es ist Viertel nach acht.

3 **Herr Sommer hat um acht Uhr einen Termin beim Zahnarzt.**
Sehen Sie die Bilder an und lesen Sie den Text. Markieren Sie die falschen Wörter.
Schreiben Sie den Text ins Heft und ergänzen Sie die richtigen Wörter.

Arbeit – ~~Bad~~ – Auto – Kaffee – Minuten – Praxis – Stadt – Stau – Stunde

Um Viertel nach sechs steht er auf und geht ins Theater. Dann trinkt er in der
Küche einen Wecker. Um Viertel nach sieben fährt er mit dem Sofa in die Minute.
Jeden Morgen gibt es einen langen Garten. Die kurze Fahrt dauert fast eine Uhr.
Er ist erst um fünf nach acht in der Krankenkasse. Zu spät. Er wartet fast dreißig
Mittagspausen. Der Zahnarzt hat heute viel Zeit.

> Um Viertel nach sechs steht er auf und geht
> ins Bad. Dann trinkt er in der ...

4 **Was passt wo?** Ergänzen Sie *rufen, kreuzen, schreiben, fangen* und *sehen*.
Achten Sie auf die Verbform.

1. Wir .... uns morgen im Kino den Film „Findet Nemo" an.

2. Lesen Sie den Text und .... Sie die richtigen Antworten an.

3. Peter und Mike .... morgen einen Polnischkurs an.

4. Unsere Lehrerin .... den Satz an.

5. Ich .... Sabine im Büro an.

5 **Was passt wo?** Ergänzen Sie *aus, auf, an, mit, ab, zu.*

1. Ich rufe morgen beim Arzt ....

2. Ordnen Sie den Fragen passende Antworten ....

3. Wir sagen den Termin beim Zahnarzt ....

4. Gehst du am Samstag .... ?

5. Bitte hört den Text und lest ....

6. Wann stehst du morgens .... ?

6 **Trennbare Verben.** Ergänzen Sie die Sätze. Schreiben Sie dann die Infinitivformen in das Rätsel.

1. Ich ....*komme*........ am Sonntag nicht ......*mit*...... . Ich habe keine Zeit.

2. .... du morgen wirklich schon um 6 Uhr .... ?

3. Wann lernen wir zusammen? Was .... du .... ?

4. Özgür und Alisa, ... ihr auch beim Alphabet-Rap .... ?

5. Frau Müller, ... Sie oft im Supermarkt .... ?

6. Bitte .... Sie morgen Frau Strunz .... und machen Sie einen Termin.

7 **Trennbare Verben.** Ordnen Sie die Sätze. Achten Sie auf die Verbform.

1. Herr Lehmann – heute – beim – anrufen – Arzt – .

   Herr Lehmann ruft heute beim Arzt an.

2. Supermarkt – ihr – im – wann – einkaufen – ?

   ....

3. spät – aufstehen – am – Samstag – du – ?

   ....

4. den Termin – absagen – Heiner – .

   ....

5. ausgehen – ihre – heute – Anita – und – Abend – Freunde – .

   ....

6. Theater – mitkommen – du – ins – ?

   ....

8 Wo steht *nicht*? Markieren Sie die richtige Position und schreiben Sie die Buchstaben in die Lösung. Wie heißt das Lösungswort?

1. Wir [K] verstehen [S] das [N].
Wir verstehen das nicht.

2. Ich [F] komme [E] aus [R] Deutschland [Z].

3. Sein [U] Familienname [C] ist [G] Sommer [M].

4. Ich [R] kenne [B] den [C] Film [A].

5. Das [W] geht [D] heute [T].

6. Herr [H] Lehmann [S] ist [I] unser [B] Lehrer [U].

7. Nein, den Freund [P] von [R] Maria [L] kenne [F] ich [O].

8. Stefan [V] trinkt [N] gern [X] Kaffee.

Lösungswort: ..N.. ....

9 *Nicht* oder *kein*? Antworten Sie negativ.

1. Sind Sie Herr Drechsler?
Nein, ich bin nicht Herr Drechsler.

2. Fährst du nach Nürnberg?

3. Hast du heute Abend Zeit?

4. Hat Thomas am Montag frei?

5. Ist das die Tasche von Elena?

6. Trinkt ihr eine Cola?

7. Frau Bosch, haben Sie Kinder?

10 *Haben* und *sein* im Präsens und Präteritum. **Ergänzen Sie die Dialoge.**
Achten Sie auf die Verbform.

1. ■ Gestern ......*hatte*......¹ ich keinen guten Tag. Ich ....*war*.........² in der Stadt

   und ....³ um fünf einen Termin mit Michael.

   ◆ Wer ....⁴ das?

   ■ Michael ....*ist*.........⁵ mein Freund und er ....⁶ immer pünktlich.

   Aber gestern ....⁷ er nicht zu Hause.

   ◆ Wo ....⁸ er denn?

   ■ Er ....⁹ eine neue Freundin und ....¹⁰ bei ihr!

2. ■ ....¹ ihr letzten Donnerstag nicht im Ausländeramt?

   ◆ Nein, wir ....² nicht im Ausländeramt.

   ■ ....³ ihr keine Zeit?

   ◆ Das ....⁴ nicht das Problem. Wir ....⁵ einen Termin um

   zwei Uhr, aber unser Auto ....⁶ kaputt. Es ....⁷ schon alt.

3. ■ Hallo, mein Name ....¹ Bergmann. Ich ....² heute einen
   Termin bei Ihnen.

   ◆ Ach, Herr Bergmann, Ihr Termin ....³ gestern. Wo ....⁴ Sie?

   ■ Wirklich gestern? Ich ....⁵ zu Hause. Tut mir leid. ....⁶ Sie
   einen neuen Termin?

   ◆ Ich ....⁷ nur noch einen Termin am Mittwoch um 14 Uhr.

   ....⁸ das okay?

   ■ Ja, das ....⁹ gut. Vielen Dank!

11 *Fahren.* **Ergänzen und konjugieren Sie.**

Grammatik	
ich	....
du	....
er/es/sie	....
wir	*fahren*
ihr	....
sie/Sie	....

1. Ich ......*fahre*...... nächsten Mittwoch nach Frankreich.

2. ■ Wie oft .... ihr zu euren Eltern?
   ◆ Jedes Wochenende.

3. Paul .... mit dem Bus zur Universität.

4. Herr und Frau Meier .... oft mit dem Fahrrad.

5. ■ Wann .... du nach Hause?
   ◆ Nächsten Montag.

6. ■ Wohin .... Sie nächstes Jahr?
   ◆ Nach Italien.

12 **Kommunikation.** **Was sagen Sie in diesen Situationen?**
Kreuzen Sie die richtige Antwort an.

1. Sie machen einen Termin beim Frisör. Was sagen Sie am Telefon?

a) ▨ Haben Sie einen Terminkalender?
b) ▨ Ich warte auf meinen Termin.
c) ▨ Haben Sie am Samstagvormittag einen Termin frei?

2. Sie waren bei Doktor Glas und kommen zwei Stunden zu spät zum Unterricht.

a) ▨ Wie geht's?
b) ▨ Tut mir leid, aber ich hatte keinen Stadtplan.
c) ▨ Entschuldigung, ich war beim Arzt.

3. Gül möchte am Montagabend mit Ihnen ins Kino gehen. Sie haben keine Zeit.

a) ▨ Tut mir Leid. Am Montagabend mache ich Sport.
b) ▨ Den Film kenne ich schon.
c) ▨ Kommst du am Montag mit ins Kino?

4. Heute ist Montag. Freitag haben Sie einen Termin beim Arzt. Sie rufen in der Praxis an und sagen ab.

a) ▨ Ich kann am Freitag nicht kommen. Ich schreibe einen Test.
b) ▨ Ich bin im Stau.
c) ▨ Tut mir leid, das passt mir nicht.

5. Am Samstag lernen Sie immer von 15 Uhr bis 17 Uhr mit Peter Deutsch. An diesem Samstagnachmittag haben Sie keine Zeit. Sie schlagen einen anderen Termin vor.

a) ▨ Ich habe Samstag keine Zeit.
b) ▨ Geht es Samstagmorgen?
c) ▨ Tut mir leid, aber ich habe den Termin vergessen!

6. Sie sind in Leipzig und haben um 14 Uhr einen wichtigen Termin bei Frau Strunz in Dresden. Jetzt ist es 13 Uhr und der Zug ist noch nicht da. Er kommt erst in 20 Minuten. Sie rufen Frau Strunz an. Was sagen Sie?

a) ▨ Tut mir leid, mein Zug hat Verspätung. Haben Sie so gegen 15 Uhr Zeit?
b) ▨ Ich bin noch in Leipzig. Ich habe keine Zeit.
c) ▨ Entschuldigung! Wann haben Sie Zeit?

7. Sie haben eine Verabredung im Café. Sie finden das Café zuerst nicht und kommen eine Viertelstunde zu spät. Was sagen Sie?

a) ▨ Entschuldigung, ich hatte keine Uhr.
b) ▨ Tut mir leid, ich hatte keinen Stadtplan.
c) ▨ Bin ich zu spät?

6 Orientierung

1 Leipzig-Quiz. Lesen Sie die Texte.

a) Ordnen Sie die Fotos den Texten zu.

1. ☐ Die Universität Leipzig am Augustusplatz gibt es schon seit 1409. Seit 1415 kann man hier Medizin studieren. Der Dichter Goethe und der Autor Jean Paul waren Studenten an der Universität Leipzig. Im Jahr 1760 leben 30000 Menschen in der Stadt und die Universität hat schon 600 Studenten. Die moderne Universität hat heute mehr als 30000 Studenten.

2. ☐ Die Alte Nikolaischule am Nikolaihof war ab 1511 die erste Schule in Leipzig. Der Philosoph und Mathematiker Wilhelm Leibnitz, der Komponist Richard Wagner und der Sozialist Karl Liebknecht waren Schüler der Nikolaischule. Heute gibt es in der Nikolaischule Diskussionsforen, Theaterprojekte und Konzerte.

3. ☐ Der berühmte Komponist Johann Sebastian Bach war Thomaskantor in der Stadt Leipzig. Das Bach-Archiv im Bosehaus ist am Leipziger Thomaskirchhof. Das Bosehaus war von 1723 bis 1750 das Wohnhaus der Familie Bach. Im Bach-Archiv gibt es heute Spezialbibliotheken zum Thema Bach und ein Bach-Museum.

4. **c** Das Schumann-Haus in der Inselstraße war von 1840 bis 1844 die Wohnung von Clara und Robert Schumann. Clara war Komponistin und eine bekannte Pianistin und Robert war ein berühmter Komponist. Anfang 1841 komponiert er in dem Haus in der Inselstraße die Frühlingssinfonie. Das Klavierkonzert in a-Moll macht die Schumanns weltbekannt.

5. ☐ Im Mendelssohn-Haus in der Goldschmidtstraße 12 war die Wohnung von Felix Mendelssohn Bartholdy (1809–1847). Mendelssohn war ein berühmter Komponist und großer Musiker. Heute ist in dem Haus ein Museum. Hier können Sie die Wohnung der Familie Mendelssohn sehen. Im Musiksalon finden oft Konzerte statt.

b) Kreuzen Sie die richtige Antwort an.

1. Wie alt ist die Universität Leipzig im Jahr 2009? Sie ist...

   a) ☐ 100 Jahre alt.
   b) ☐ 250 Jahre alt.
   c) ☐ 600 Jahre alt.

2. Wo gibt es in Leipzig Theaterprojekte und Konzerte?

   a) ☐ Im Bach-Archiv.
   b) ☐ In der Nikolaischule.
   c) ☐ Im Schumann-Haus.

3. Welcher deutsche Dichter war nicht Student in Leipzig?

   a) ☐ Goethe.
   b) ☐ Schiller.
   c) ☐ Jean Paul.

4. Clara Schumann war eine berühmte ...

   a) ☐ Musikerin.
   b) ☐ Philosophin.
   c) ☐ Dichterin.

5. Wie heißt die erste Schule Leipzigs?

   a) ☐ Bachschule.
   b) ☐ Nikolausschule.
   c) ☐ Nikolaischule.

6. Welcher berühmte Komponist wohnt bis 1847 in Leipzig?

   a) ☐ Johann Sebastian Bach.
   b) ☐ Felix Mendelssohn-Bartholdy.
   c) ☐ Robert Schumann.

7. Was ist am Thomaskirchhof?

   a) ☐ Das neue Messezentrum.
   b) ☐ Das Bosehaus.
   c) ☐ Die Universität.

8. Was war Wilhelm Leibnitz?

   a) ☐ Philosoph und Mathematiker.
   b) ☐ Dichter und Komponist.
   c) ☐ Thomaskantor.

! Internettipp
www.uni-leipzig.de
www.bach-leipzig.de

2 **Wortfelder** *In der Stadt.* **Ergänzen Sie das Rätsel.**

a) Wortfeld *Verkehr*

1. Herr Effenberg war auf der Autobahn im ... . Er kommt zu spät.
2. In Frankfurt gibt es einen internationalen ... .
3. Hast du einen ... von Berlin? Wo ist der Bahnhof Zoo?

b) Wortfeld *Häuser*

4. Eine Uni-Klinik ist ein ... .
5. Musikfans gehen in die ... .
6. Wir fahren für zwei Tage nach München. Wir schlafen im ... .
7. Ich fahre mit dem Zug zur Arbeit. Jeden Morgen gehe ich zum ... .
8. Am Donnerstag gibt es den neuen Walt-Disney-Film im ... .

3 **Das erste Halbjahr 2005. Was war wann?** Lesen Sie Alexanders Kalender und schreiben Sie die Ordnungszahlen.

JANUAR

1 Sa Neujahr	001
2 So	002
3 Mo ☾	003
4 Di	004
5 Mi *1*	005
6 Do Erscheinungsfest¹	006
7 Fr	007
8 Sa	008
9 So	009
10 Mo ●	010
11 Di	011
12 Mi *2*	012
13 Do	013
14 Fr	014
15 Sa	015
16 So	016
17 Mo ☽	017
18 Di	018
19 Mi *3*	019
20 Do	020
21 Fr	021
22 Sa	022
23 So	023
24 Mo	024
25 Di ○	025
26 Mi *4*	026
27 Do	027
28 Fr	028
29 Sa	029
30 So	030
31 Mo Geburtstag	031

FEBRUAR

1 Di	032
2 Mi Mariä Lichtmeß ☾	033
3 Do *5*	034
4 Fr	035
5 Sa	036
6 So	037
7 Mo Rosenmontag	038
8 Di Fastnacht ●	039
9 Mi Aschermittwoch	040
10 Do *6*	041
11 Fr	042
12 Sa	043
13 So	044
14 Mo Valentinstag	045
15 Di	046
16 Mi *7* ☽	047
17 Do Zahnarzt	048
18 Fr	049
19 Sa	050
20 So	051
21 Mo	052
22 Di	053
23 Mi *8*	054
24 Do ○	055
25 Fr	056
26 Sa	057
27 So	058
28 Mo	059

MÄRZ

1 Di	060
2 Mi *9*	061
3 Do ☾	062
4 Fr	063
5 Sa	064
6 So	065
7 Mo	066
8 Di	067
9 Mi *10*	068
10 Do ●	069
11 Fr	070
12 Sa	071
13 So	072
14 Mo	073
15 Di	074
16 Mi *11*	075
17 Do ☽	076
18 Fr	077
19 Sa St. Joseph	078
20 So Frühlingsanfang Palmsonntag	079
21 Mo	080
22 Di	081
23 Mi *12*	082
24 Do Gründonnerstag	083
25 Fr Mariä Verkündigung Karfreitag ○	084
26 Sa	085
27 So Beginn Sommerzeit Ostersonntag	086
28 Mo Ostermontag	087
29 Di	088
30 Mi *13*	089
31 Do	090

APRIL

1 Fr	091
2 Sa ☾	092
3 So Weißer Sonntag	093
4 Mo	094
5 Di	095
6 Mi *14*	096
7 Do Autopanne	097
8 Fr ●	098
9 Sa	099
10 So	100
11 Mo	101
12 Di	102
13 Mi *15*	103
14 Do	104
15 Fr	105
16 Sa ☽	106
17 So	107
18 Mo	108
19 Di	109
20 Mi *16*	110
21 Do	111
22 Fr	112
23 Sa	113
24 So ○	114
25 Mo	115
26 Di	116
27 Mi *17*	117
28 Do	118
29 Fr	119
30 Sa	120

MAI

1 So Maifeiertag ☾	121
2 Mo	122
3 Di	123
4 Mi *18*	124
5 Do Europatag Christi Himmelfahrt	125
6 Fr	126
7 Sa	127
8 So Muttertag *!*	128
9 Mo	129
10 Di	130
11 Mi *19*	131
12 Do	132
13 Fr	133
14 Sa	134
15 So Pfingstsonntag	135
16 Mo Pfingstmontag Heike	136
17 Di	137
18 Mi *20*	138
19 Do	139
20 Fr	140
21 Sa	141
22 So Dreieinigkeitsfest	142
23 Mo ○	143
24 Di	144
25 Mi *21*	145
26 Do Fronleichnam³	146
27 Fr	147
28 Sa	148
29 So	149
30 Mo ☾	150
31 Di	151

JUNI

1 Mi *22*	152
2 Do	153
3 Fr	154
4 Sa	155
5 So	156
6 Mo ●	157
7 Di	158
8 Mi *23*	159
9 Do	160
10 Fr	161
11 Sa	162	S
12 So	163	P
13 Mo	164	A
14 Di	165	N
15 Mi *24* ☽	166	I
16 Do	167	E
17 Fr	168	N
18 Sa	169	
19 So	170	
20 Mo	171	
21 Di Sommeranfang	172	
22 Mi *25* ○	173	
23 Do	174	
24 Fr Johannistag	175	
25 Sa	176	
26 So	177	
27 Mo	178	
28 Di *26* ☾	179	
29 Mi Peter und Paul	180	
30 Do	181	

1. Sein Geburtstag: am .... *einunddreißigsten Ersten* ....

2. Termin beim Zahnarzt: am ....

3. Karfreitag war am ....

4. Er hatte eine Autopanne am ....

5. Mama anrufen (Muttertag): am ....

6. Ausflug mit Heike (Pfingstmontag): am ....

7. Alexander war in Spanien: vom ....

   bis zum ....

4 **Wie fahren die Personen zur Arbeit?** Ergänzen Sie die Sätze.

1. Frau Bosch ist Lehrerin. Sie fährt jeden Tag .... *mit dem Fahrrad* .... zur Schule.

2. Der Lufthansa-Pilot Markus Bernstein wohnt in Kronberg. Heute hat seine Frau das Auto, und er fährt .... zum Airport-Bahnhof.

3. Ralf ist Student. Er hat kein Fahrrad. Er fährt .... zur Uni.

4. Anna Fiedler ist Elektroingenieurin. Sie hat einen BWM.

Jeden Morgen fährt sie .... zur Arbeit nach München.

5. Milena Filipova ist Musikerin an der Wiener Staatsoper. Sie findet Wien fantastisch, aber es gibt zu viel

Verkehr. Sie fährt immer ....

bis zum Karlsplatz. Vom Karlsplatz geht sie .... zur Oper.

5 Mit der Freundin in Berlin. **Sehen Sie die Bilder an und ergänzen Sie die Sätze von Klaus. Setzen Sie die Artikel im Dativ und die Präpositionen** *mit, in, an, neben* **und** *vor* **ein.**

Hallo Tom! Wir waren am Wochenende in Berlin. Ich habe hier ein paar Fotos. Hier siehst du Julia <u>auf dem</u> Sofa <u>im</u> Wohnzimmer von Simon.

1. Auf dem nächsten Bild steht sie

.... Universität.

2. Dieses Foto ist auch sehr schön.

Das ist .... Café Einstein. Das kennst du doch auch.

3. Und hier sind wir .... Simon

.... Tiergarten.

Wir stehen .... ältesten Baum im Park.

4. Das ist Simons Zimmer. ....

.... Zimmer hängen immer noch die Bilder von Che Guevara ....

.... Wand. Glaubst du das?

6 **Eine Sprachschule für Deutsch im Internet.** Lesen Sie den Text und ergänzen Sie die Präpositionen *in, neben, unter* und *zwischen* und die Artikel. Ordnen Sie dann die Buchstaben aus dem Bild zu.

Das ist eine Sprachschule für Deutsch ....¹ Internet. ....²

Kursräumen links findet ihr viel Material zum Deutschlernen. Der Raum von

Deutsch 1 *C* ist ....³ ersten Stock, Deutsch 3 ▨ ist ....⁴ dritten Stock

und der Kursraum von Deutsch 2 ▨ ist ....⁵ Kursräumen von

Deutsch 1 und Deutsch 3. Die Kantine ▨ ist ....⁶ Erdgeschoss, ...

..................⁷ Kursraum von Deutsch 1.

Rechts ....⁸ Kantine ist das Treppenhaus ▨ . ...⁹ Erdge-

schoss rechts ist die Projektgalerie ▨ . ...¹⁰ Projektgalerie könnt

ihr die Semesterprojekte von den Deutschlernern ansehen. Sie ist direkt ....

..................¹¹ Lesezimmer ▨ . Im zweiten Stock links ist die Infowand ▨ ....

..................¹² Videoraum ▨ . Der Videoraum ist ....¹³ Sekretariat ▨ .

7 *Einladen.* Ergänzen Sie die Verbformen.

ich	*lade ... ein*	wir	
du		ihr	
er/es/sie	*lädt ... ein*	sie/Sie	

1. .... du Pedro zu Weihnachten ....?

2. Ich .... Peter zum Essen ....

3. Meine Chefin .... uns morgen zum Kaffee ....

4. .... ihr Peter auch zu der Party ....?

5. Wir .... unsere Freunde am Sonntag zum Mitttagessen ....

6. Meine Mitbewohner .... ihre Freunde zum Frühstück ....

8 Jelenas Terminkalender. Lesen Sie den Terminkalender.
Ergänzen Sie den Text mit den passenden Verben.

sein – fahren – treffen – machen – kochen – schreiben – ~~nehmen~~ – einkaufen –
gehen – kommen – haben – spielen – ~~lernen~~

Das ....¹ Jelenas Terminkalender.

Am Montag ......*lernt*............² sie wie immer von neun bis eins Deutsch.

In der Pause um zehn ....³ sie schnell Passfotos für ihr neues

Studentenvisum.

Sie ....⁴ am Dienstag um vier einen Termin beim Ausländeramt.

Am Mittwoch ....⁵ sie nach dem Unterricht um halb zwei zum

Frisör. Von halb sechs bis halb sieben ....⁶ sie Tennis.

Am Donnerstag ....⁷ sie Ulrike um sechs.

Am Freitag um zehn ....⁸ sie einen Test. Um fünf nach zwei

......*nimmt*............⁹ sie den Zug nach Dresden und ....¹⁰ am Abend

um fünf nach halb acht wieder nach Hause.

Am Samstag ....sie um zehn auf dem Markt ....¹¹.

Am Sonntag um zwölf ....¹² Pedro. Sie ....¹³

zusammen Mittagessen.

7 Berufe

1 Frauenberufe – Männerberufe. **Wer macht was?**
Lesen Sie die Texte und kreuzen Sie an.

Lehrerin, Sekretärin, Arzthelferin und Verkäuferin – klar, das sind typische Frauenberufe. Männer arbeiten als Architekt, Elektriker oder Automechaniker. Typische
Männer- und Frauenberufe gibt es immer noch. Aber es gibt auch immer mehr Frauen
in Männerberufen – und auch Männer in typischen Frauenberufen!

Sabine Wulf (34) ist Pilotin bei der Lufthansa. Sie fliegt eine Boeing 737. Sabine findet den Beruf prima. Computer und Technik waren für sie schon immer interessant. Als Pilotin ist sie viel unterwegs, auch am Samstag oder Sonntag. Sabine arbeitet sehr oft mit Männern zusammen. Das ist für sie normal. Nur fünf von einhundert Piloten in Deutschland sind Frauen.

Marion Schmidt (30) ist Automechanikerin. Sie findet Motoren, Technik und Mechanik interessant. In ihrer Reparaturwerkstatt ist sie die Chefin. Am Anfang hatte sie Probleme. Sie sagt, Männer bringen ihre Autos nicht gern zu einer Frau in die Werkstatt. Aber Frauen haben auch Autos und finden die Werkstatt von Marion prima. Seit einem Jahr arbeiten noch zwei Mechaniker bei Marion. Es gibt in diesem Beruf einfach nicht viele Frauen.

Monika Müller (31) und **Stefanie Wolf** (29) sind Partnerinnen in einem typischen Männergeschäft: Sie sind Computerexpertinnen und haben seit drei Jahren ein kleines Geschäft mit Reparaturwerkstatt in Leizpig. Monika arbeitet im Verkauf und besucht oft Computermessen in Deutschland und im Ausland. Stefanie installiert Programme und repariert Computer. An den Wochenenden organisieren sie manchmal Computerworkshops – nicht nur für Frauen! Viele Kunden sind Männer. Sie finden den Service sehr gut.

Ralf Moormann (23) ist Krankenpfleger. In seinem Beruf gibt es nicht sehr viele Männer. Ralf arbeitet schon seit zwei Jahren in der Universitätsklinik. Er findet Medizin und den Kontakt zu den Patienten sehr interessant. Nur am Wochenende geht er nicht so gern zur Arbeit. Als Krankenpfleger bereitet Ralf sich auch auf sein Studium vor. Er möchte Medizin studieren und wartet noch auf einen Studienplatz.

Carsten Rahn (28) ist Lehrer an einer Grundschule. Das ist eine Schule für Kinder zwischen sechs und zehn Jahren. Er unterrichtet Deutsch und gibt an seiner Schule auch Computer-Workshops für Kinder. Kinder und Technik – Carsten findet, das passt gut zusammen. Er interessiert sich für Computer und arbeitet gern mit Kindern. Carsten findet seinen Beruf sehr wichtig. An seiner Schule gibt es noch 13 Lehrerinnen. Er sagt, an deutschen Grundschulen sind über 60 % von den Lehrern Frauen. Die Kinder möchten aber mehr Männer als Lehrer haben.

Helga Ortmann (51) ist seit acht Jahren Direktorin in einer Bank. Sie findet ihren Beruf sehr interessant. Helga arbeitet viel am Schreibtisch, aber sie hat auch oft Kontakt zu ihren Kunden. Eine gute Kundenberatung ist bei einer Bank sehr wichtig. Von Montag bis Freitag arbeitet sie von acht bis 18 Uhr. Abends und am Samstag und Sonntag arbeitet sie oft zu Hause. Viele Angestellte in ihrer Bank sind Männer. Aber das ist kein Problem für Helga.

Sabine	Marion	Monika	Stefanie	Ralf	Carsten	Helga	
▪	▪	▪	▪	X	X	▪	... haben viele Kolleginnen.
▪	▪	▪	▪	▪	▪	▪	... arbeiten auch am Wochenende.
▪	▪	▪	▪	▪	▪	▪	... interessieren sich für Technik.
▪	▪	▪	▪	▪	▪	▪	... sind beruflich oft im Ausland.
▪	▪	▪	▪	▪	▪	▪	... reparieren etwas.
▪	▪	▪	▪	▪	▪	▪	... sind Chefinnen.

2 **Wortfeld Beruf. Welches Wort passt nicht?**

1. Professor   Bücher – Universität – Computer – Schreibtisch – ~~Stadtplan~~ – Kuli
2. Kellner   Tisch – Gast – Rechnung – Speisekarte – Schere – Restaurant
3. Frisör   Schere – Salon – Sekretariat – Terminkalender – Telefon – Haare
4. Arzt   Patient – Geschäft – Wartezimmer – Termin – Medizin – Sprechstunde
5. Pilot   Flughafen – Technik – Briefe – Koffer – Flugzeug – Computer
6. Sekretärin   Computer – E-Mail –Terminkalender – Telefon – Büro – Kinder

3 **Berufe. Was machen diese Leute beruflich?**

1. Jan arbeitet in einem Krankenhaus. Er ist ...... *Krankenpfleger* ...... von Beruf.

2. Peter hat eine Praxis und untersucht Patienten. Er ist A.................. .

3. Jutta fährt beruflich viel Auto. Sie arbeitet als T.................. .

4. Ute unterrichtet Biologie. Sie ist L.................. .

5. Wolfgang arbeitet bei einer Zeitung. Er ist R.................. von Beruf.

6. Eva schreibt E-Mails für ihren Chef. Sie arbeitet als S.................. .

7. Paul arbeitet in einem Restaurant in der Küche. Er ist K.................. .

4 **Arbeitsorte. Was passt zusammen? Kreuzen Sie an.**

	Schule	Bank	Verlag	Arztpraxis
Buch	X	■	X	■
Direktor	■	■	■	■
Patient	■	■	■	■
Sprechstunde	■	■	■	■
Kunde	■	■	■	■
Unterricht	■	■	■	■
Ärztin	■	■	■	■
Redakteur	■	■	■	■
Krankenversicherung	■	■	■	■
Sekretärin	■	■	■	■

5 **Tätigkeiten. Wer macht was wo? Ergänzen Sie passende Verben und die Arbeitsplätze. Alle Arbeitsplätze finden Sie im Rätsel.**

1. Ein Frisör .... *schneidet* .... Haare in

   einem .... *Frisörsalon* ....

2. Ein Deutschlehrer ....

   Deutsch an einer ....

3. Ein Verkäufer .... Bücher

   in einer ....

4. Ein Bankangestellter ....

   Kunden in einer ....

5. Eine Sekretärin .... Briefe im ....

V	S	E	K	R	E	T	A	R	I	A	T
E	A	U	R	U	L	J	C	H	S	U	L
S	B	R	O	C	H	S	C	H	U	L	E
R	B	D	N	U	I	M	C	D	I	R	E
W	E	N	K	S	T	A	T	D	S	G	K
L	E	N	E	R	R	K	P	I	O	B	T
A	G	R	N	D	I	D	S	T	N	A	O
B	U	C	H	H	A	N	D	L	U	N	G
G	S	R	A	G	T	E	M	D	K	K	L
W	A	D	O	G	E	N	B	R	E	T	U
M	F	R	I	S	Ö	R	S	A	L	O	N

6 **Visitenkarten. Lesen Sie die Visitenkarten und ergänzen Sie dann die Texte.**

e-soft software solutions made easy

Olaf Edelmann
Programmierer

Waldstraße 13a · 80443 München
Tel.: 089/765-3331 · Fax: 089/765-3332
Internet: www.e-soft.de

Olaf Edelmann ist .... von Beruf. Er

arbeitet bei .... in ....

Die .... ist Waldstraße 13 a.

Seine .... ist 089/765-3332 und

seine .... ist 089/765-3331.

Sabine Jahn ist .... von Beruf.

Ihr Arbeitsplatz ist der Frisörsalon

.... Sie arbeitet von 9 bis

18 Uhr und am .... von 8 bis

14 Uhr. Der Frisörsalon hat die Telefonnummer

.... und ist in ....

in der Goldstraße 17.

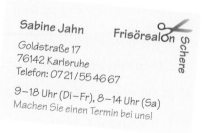

Sabine Jahn

Goldstraße 17
76142 Karlsruhe
Telefon: 0721/554667

9–18 Uhr (Di–Fr), 8–14 Uhr (Sa)
Machen Sie einen Termin bei uns!

Frisörsalon Schere

7 Arbeitslos. **Ergänzen Sie.**

Arbeitslosigkeit – Arbeitsagentur – Arbeit – Arbeitsmarkt – arbeitslos

Die ....¹ ist in Deutschland sehr hoch. Von zehn Personen ist mindestens eine Person ....² . Wer ....³ sucht, geht zur ....⁴ . Sie hilft bei der Orientierung auf dem ....⁵ .

8 Possessivartikel. **Achten Sie auf** *der/das/die* **und auf Nominativ und Akkusativ. Ergänzen Sie dann die Possessivartikel.**

	der/das/die	Nom./Akk.
1. Wo ist ....*meine*.... **Tasche**?	die	Nom.
2. Rudolf, ich finde .... **Haus** schön.	....	....
3. Was ist .... **Vater** von Beruf, Frau Neumann?	....	....
4. Ruf Eva an. Hast du .... **Telefonnummer**?	....	....
5. Ich kenne Tom. Aber .... **Bruder** kenne ich nicht.	....	....
6. Brigitte und .... **Tochter** sind jetzt in England.	....	....
7. Ahmed, ich brauche morgen .... **Hilfe**.	....	....
8. Wie war .... **Reise** nach Berlin, Markus und Peter?	....	....
9. Die Müllers verkaufen nächste Woche .... **Auto**.	....	....

9 Nominativ oder Akkusativ? **Ordnen Sie die Wörter. Ergänzen Sie die Endungen. Achten Sie auf** *der/das/die* **und auf Nominativ und Akkusativ.**

1. finde – interessant – ich – **Beruf** – mein – .

   Ich finde meinen Beruf interessant.

2. hat – Frau – **ein Schuhgeschäft** – mein – .

   ....

3. Sabine – **Chefin** – mag – nicht – ihr – .

   ....

4. bringt – Herr Lehmann – in die Werkstatt – **Auto** – sein – .

   ....

5. kennst – **Kundinnen** – du – wie lange – dein – ?

   ....

6. bei der Arbeitsagentur – am Montag – Termin – ist – Ihr – .

   ....

7. unterrichtet – Direktorin – **Englisch und Biologie** – unser – .

   ....

8. Paul – in den Kindergarten – **Kinder** – bringt – sein – .

   ....

10 Possessivartikel oder *ein-*? Ergänzen Sie die Akkusativformen.   der/das/die

1. Mittwoch habe ich .... **Termin** beim Zahnarzt.   ....

2. Wo gibt es hier in der Nähe .... gute **Werkstatt**?   ....

3. Bringen Sie .... **Kind** jeden Tag in den Kindergarten?   ....

4. Eva beginnt am 1. Juli .... **Sprachkurs**.   ....

5. Herr Ortmann, tragen Sie zum Lesen .... **Brille**?   ....

6. Wir haben .... **Frisörsalon** schon seit fünf Jahren.   ....

7. Morgen bringt Peter ......*seinen*...... **Computer** zur Reparatur.   ....*der*....

8. Meine Freundin hat .... altes **Auto**.   ....

9. Frank, wie findest du .... **Beruf**?   ....

10. Ich liebe .... **Arbeit**.   ....

11 *Können* oder *müssen*?
Ergänzen Sie die Verbformen.

Grammatik		
ich	....	*muss*
du	*Kannst*	....
er/es/sie	....	....
wir	....	....
ihr	....	....
sie/Sie	....	....

1. ■ ....*Kannst*.... du Auto fahren?

    ◆ Nein, das .... ich nicht.

2. Ich .... am Sonntag arbeiten. Aber am Montag habe ich frei.

3. .... ihr Frau Sommer bitte im Garten helfen?

4. ■ .... dein Freund meinen Stuhl reparieren? ◆ Keine Ahnung.

5. ■ .... ihr immer am Wochenende lernen? ◆ Nein, nicht immer. Aber oft.

6. Wir .... morgen nicht kommen. Wir .... arbeiten.

7. Deine Freundin studiert in Helsinki? .... sie denn Finnisch?

12 *Können* oder *müssen*? Ergänzen Sie das passende Modalverb und auch das Verb im Infinitiv.

einkaufen – sitzen– aufstehen – arbeiten – reparieren – bringen

1. Jan ist Bäcker. Er ....*muss*.......... jeden Morgen schon sehr früh ......*aufstehen*...... .

2. Christiane und ihr Mann Johannes .... ihre Kinder jeden Morgen in die Schule ....

3. Frau Sommer arbeitet in einem Callcenter und .... den ganzen Tag am Schreibtisch ....

4. .... ihr meinen Computer .... ? – Klar.

5. .... du nur am Samstag .... ? .... du an den anderen Tagen immer .... ? – Ja.

13 **Ein Termin beim Personalchef.** Frau Lim sucht Arbeit. Sie stellt sich vor.
Ergänzen Sie den Dialog.

a) Ich spreche Chinesisch, Japanisch und Englisch.
b) Ja, ich bin schon fünf Jahre hier.
c) Doch doch, ich nehme immer das Auto.
   Mein Mann fährt lieber mit der S-Bahn.
d) ~~Guten Tag! Mein Name ist Lim Mey Ee.~~
e) Entschuldigen Sie, der Familienname ist Lim.
f) Das ist kein Problem.
g) Nein, ich wohne mit meinem Mann in Potsdam.
h) Oh, ich kann gut organisieren. Das mache ich
   auch sehr gern.
i) Ich danke auch. Auf Wiedersehen, Herr Wiegand.
j) Ich komme aus Singapur.

1. Guten Tag! Wie heißen Sie?

   d *Guten Tag! Mein Name ist Lim Mey Ee.*

2. Frau Ee, ...

3. Ach so. Frau Lim, Sie sprechen sehr
   gut Deutsch. Sind Sie schon lange in
   Deutschland?

4. Woher kommen Sie?

5. Wir haben viele Geschäftspartner in Asien. Welche Sprachen sprechen Sie?

6. Das ist sehr gut. Und ... leben Sie hier in Berlin?

7. Ach, fahren Sie mit dem Auto? Oder haben Sie keinen Führerschein?

8. Was denken Sie? Was können Sie besonders gut?

9. Sehr schön. Ist ein Arbeitsbeginn am ersten Dezember für Sie möglich?

10. Vielen Dank. Wir rufen Sie in der nächsten Woche an. Auf Wiedersehen,
    Frau Lim.

8 Münster sehen

1 **Mit dem Fahrrad durch Münster.** Lesen Sie den Text. Richtig oder falsch?
Kreuzen Sie an und ergänzen Sie die Zeilennummer bei den richtigen Aussagen.

Die Stadt Münster ohne Fahrräder? Das kann sich hier keiner vorstellen. Die „Leeze" ist das
Verkehrsmittel in Münster. „Leeze", so nennen die Münsteraner liebevoll ihr Fahrrad. Jeden
Tag sind mehr als 100 000 Menschen mit dem Rad unterwegs – und es gibt 500 000 Fahrräder,
das sind zweimal so viele Fahrräder wie Einwohner! Die Radstation vor dem Bahnhof ist mit
5 3 500 Parkplätzen für Fahrräder die größte in Deutschland. Hier kann man sein Rad parken, es
in die Reparaturwerkstatt bringen und auch ein Fahrrad mieten. Diese Menschen haben wir in
der Radstation getroffen:

Herr Detering ist Redakteur bei einem Kinderbuchverlag in Münster. Er wohnt mit seiner
Familie in Recklinghausen und fährt jeden Tag mit der Regionalbahn in die Stadt. Die 55 Kilo-
10 meter lange Fahrt dauert nur eine halbe Stunde. Er sagt: „Mein Fahrrad wartet schon in der
Radstation auf mich. Von hier fahre ich mit dem Fahrrad zur Arbeit. Ich fahre immer über die
Promenade. Der Weg ist nicht weit und es gibt keine Autos!" Die Promenade ist viereinhalb
Kilometer lang und der einzige „Fahrrad-Straßenring" in Europa. Autos dürfen hier nicht
fahren. Abends fährt Herr Detering wieder mit dem Fahrrad zum Bahnhof und mit der Bahn
15 nach Hause. Er findet das gut. Er muss nicht mit dem Auto im Stau stehen und macht auch noch
etwas Sport.

Susanne und Farah kommen mit der Bahn aus Osnabrück. Die Stadt liegt 60 Kilometer nordöstlich von Münster. Beide sind Krankenschwestern von Beruf und haben heute ihren freien
Tag. Sie wollen zuerst im Schlossgarten lange frühstücken und dann einen Stadtbummel
20 machen. Am späten Nachmittag besuchen sie noch eine Freundin. „Wir wollen hier Fahrräder
mieten. Ohne Auto ist es viel einfacher. Die Parkplätze sind hier sehr teuer, und man muss
manchmal lange suchen, bis man einen freien Platz findet", sagt Farah.

Olaf ist Student und arbeitet manchmal in der Radstation. Er sagt: „Hier gibt es Straßen und auch Ampeln nur für Fahrräder! Weniger Autos und weniger Verkehr heißt auch weniger
25 Stress. Das ist gut für alle. Sie können bei uns ein Fahrrad mieten und dann die Stadt mit der Leeze besichtigen. In Münster gibt es viel zu sehen, zum Beispiel die Promenade, die historische Altstadt, den Prinzipalmarkt und das Schloss. Bei der Touristeninformation hier im Haus kann man Tipps und Pläne mit verschiedenen Routen für eine Stadtrundfahrt mit der Leeze bekommen. Es kommen Besucher aus der ganzen Welt. Viele finden das Konzept toll!“

	richtig	falsch	Zeile
1. In der Radstation kann man ein Fahrrad mieten.	X	▦	6
2. Alle Münsteraner fahren jeden Tag mit dem Fahrrad.	▦	▦	▦
3. Nach der Statistik hat jeder Münsteraner zwei Fahrräder.	▦	▦	▦
4. Herr Detering fährt mit der Bahn nach Hause.	▦	▦	▦
5. Autos dürfen in Münster nicht fahren.	▦	▦	▦
6. Susanne und Farah haben lange einen Parkplatz gesucht.	▦	▦	▦
7. Osnabrück liegt im Nordosten von Münster.	▦	▦	▦
8. Olaf ist Mechaniker von Beruf.	▦	▦	▦
9. Touristen aus vielen Ländern besuchen Münster.	▦	▦	▦
10. In der Radstation gibt es auch eine Touristeninformation.	▦	▦	▦

2 **Wortfeld Stadt und Verkehr.** **Welches Wort passt nicht?**

1. Tourist   Kamera – Postkarte – ~~Kreuzung~~ – Stadtrundfahrt
2. Touristeninformation Wegbeschreibung – Stadtplan – Geschäft – Busplan
3. Hotel   Frühstück – Zimmer – Kirche – Übernachtung
4. Verkehrsmittel Fahrrad – Bus – Straßenbahn – Fußgängerzone
5. Stadtrundfahrt Abfahrt – U-Bahn – Sehenswürdigkeiten – Bus
6. Stadtplan   Straße – Ampel – Marktplatz – Kreuzung
7. Taxi   Fahrer – Fahrrad – Parkplatz – Stadtautobahn

3 **Was passt zusammen?** **Oft sind mehrere Antworten möglich.**

1. Postkarten   e, f .... a) planen
2. Tradition   .... b) machen
3. ein Zimmer   .... c) suchen
4. ein Taxi   .... d) besichtigen
5. eine Stadtrundfahrt .... e) schreiben
6. Fotos   .... f) kaufen
7. einen Stadtplan   .... g) haben
8. die Nationalgalerie .... h) nehmen
9. einen Stadtbummel .... i) fahren
10. ein Exkursionsprogramm .... j) besuchen
11. einen Spaziergang .... k) buchen

4 **Wo ist der Stadtplan?** Schreiben Sie Sätze.

Er ist in der Badewanne.

1. ....
2. ....
3. ....

4. ....
5. ....
6. ....

5 **Wohin gehst du?** Kreuzen Sie die richtigen Antworten an und schreiben Sie die Sätze ins Heft.

1.
a) ▢ in die Stadt-
mitte.
b) ▢ zum Markt-
platz.
c) ▢ durch den
Park.

Ich gehe ...

2.
a) ▢ zur Galerie.
b) ▢ durch die Fuß-
gängerzone.
c) ▢ ins Museum.

3.
a) ▢ zum Park.
b) ▢ zum Stadttor.
c) ▢ über das
Messegelände.

4.
a) ▢ über die
Schlossbrücke.
b) ▢ durch das
Stadttor.
c) ▢ in den Park.

5.
a) ▢ zur Universität.
b) ▢ an der Uni-
versität vorbei.
c) ▢ durch den Zoo.

6 *Wo, woher* oder *wohin*? **Kreuzen Sie an.**

1. ▢ Wo ▢ Woher ☒ Wohin fährt Markus heute? – Nach Frankfurt.
2. ▢ Wo ▢ Woher ▢ Wohin geht ihr heute Abend? – Ins Kino.
3. ▢ Wo ▢ Woher ▢ Wohin kommt dieser Zug? – Aus Hamburg.
4. ▢ Wo ▢ Woher ▢ Wohin treffen wir Monika? – Im Café Einstein.
5. ▢ Wo ▢ Woher ▢ Wohin kommt das Regal? – Ins Wohnzimmer.
6. ▢ Wo ▢ Woher ▢ Wohin sind die Toiletten? – Gleich hier vorne rechts.
7. ▢ Wo ▢ Woher ▢ Wohin kaufen Sie am Samstag ein? – Auf dem Markt.
8. ▢ Wo ▢ Woher ▢ Wohin kommt Olga? – Aus Russland.
9. ▢ Wo ▢ Woher ▢ Wohin kann ich Sie heute Nachmittag finden? – Ab drei bin ich im Büro.

7 *Wollen.* **Ergänzen Sie die Tabelle und den Text.**

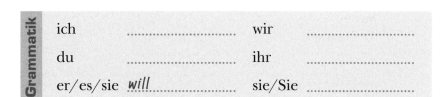

Grammatik				
ich	....	wir	....
du	....	ihr	....
er/es/sie	*will*	sie/Sie	....

1. Die Kinder ......*wollen*...... keine Hausaufgaben machen.

2. Petra .... jeden Tag einen Spaziergang machen.

3. Jonas und Sandra, warum .... ihr nicht zur Party gehen?

4. Heinz, wie lange .... du noch am Computer spielen?

5. Morgen .... ich wirklich keinen Besuch. Ich habe viel Arbeit.

6. Wir .... nicht nach London fahren. Es ist zu kalt dort.

8 *Wollen, müssen* oder *können*? **Ergänzen Sie das passende Modalverb.**

Muss ich morgen mitkommen?

Nein, du musst nicht. Aber du kannst gerne mitkommen. Was willst du?

1. Morgen ist der Test! Ich .... noch die Vokabeln lernen.

2. .... ihr mich bitte heute Abend abholen? Mein Auto ist kaputt.

3. Erika .... das Konzert von Anne-Sophie Mutter sehen, aber ein Ticket kostet 90 Euro. Das ist leider zu teuer für sie.

4. Ich verstehe das nicht. .... Sie das noch einmal erklären?

5. Nächstes Jahr .... meine Schwester in Deutschland studieren.

   Aber sie .... noch viel Deutsch lernen.

6. Ich schaffe das nicht allein. .... du mir helfen?

7. Meine Lehrerin sagt, ich .... die Hausaufgabe nicht bis Montag fertig

   machen. Ich .... sie am Mittwoch auch noch ins Sekretariat bringen.

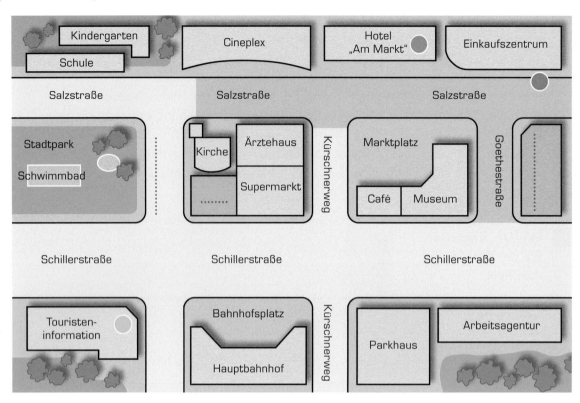

a) Ergänzen Sie die Dialoge. Dann ergänzen Sie die Namen in der Karte.

Dialog 1: Vor dem Einkaufszentrum ●

■ Hallo, kann ich dir helfen?
◆ Ich kann das Schwimmbad nicht finden.

■ Das Schwimmbad ist im ....[1]. Du gehst hier

...................................[2] und die ....[3] Straße links.

Das ist die Parkstraße. Der Stadtpark ist ....[4].
◆ Danke. Das finde ich jetzt schon. Tschüss!
■ Tschüss.

rechts – Stadtpark – geradeaus – dritte

Dialog 2: Im Hotel am Markt ●

■ Kann ich Ihnen helfen, mein Herr?
◆ Mal sehen, ich möchte Geld wechseln.
■ Tut mir leid. Wir wechseln kein Geld. Aber in der Parkstraße ist eine

...................................[1].

◆ Und wie komme ich ....[2] die Parkstraße?

■ Gehen Sie ....[3] ....[4] Marktplatz

...................................[5] zum Café. Da gehen Sie an der Ampel über den

...................................[6] und dann ....[7] in die Schillerstraße.

Die Parkstraße ist die ....[8] Straße rechts. Die Bank finden
Sie dann schon.
◆ Kein Problem. Vielen Dank!

über – Kürschnerweg – in – den – rechts – erste – bis – in – Bank

Dialog 3: In der Touristeninformation ●

- Guten Tag!
- Guten Tag, kann ich Ihnen helfen?
- Ja, wir suchen das Theater.
- Das Theater? Das ist in der Goethestraße.
- Ist das weit?

- Nein. Gehen Sie hier ....¹ die Schillerstraße entlang,

..........................² Bahnhofsplatz ....³ und

..........................⁴ den Kürschnerweg, dann am ....⁵

vorbei bis zur Arbeitsagentur. Gegenüber ist die Goethestraße. Gehen Sie über

die Schillerstraße ....⁶ die Goethestraße. Das Theater ist

..........................⁷.

- Haben Sie vielleicht auch einen Stadtplan für uns?
- Natürlich. Bitte. Auf Wiedersehen.
- Vielen Dank! Auf Wiedersehen.

rechts – in – rechts – am – vorbei – Parkhaus – über

b) Finden Sie den Weg? Ordnen Sie die richtige Antwort zu.

1. ▨ Wo ist bitte die Touristeninformation? ●
2. ▨ Gibt es hier ein Theater? ●
3. ▨ Mein Freund hat Zahnschmerzen. Wo finden wir einen Zahnarzt? ●

a
Das Ärztehaus ist nicht weit. Gehen Sie hier über die Schillerstraße, bis zur Salzstraße. Gehen Sie dann links in die Fußgängerzone. Es ist gleich das erste Gebäude auf der linken Seite.

b
Gehen Sie die Salzstraße entlang, dann die zweite Straße links. Das ist der Kürschnerweg. Gehen Sie über die Schillerstraße. Es ist dann gleich das erste Gebäude rechts.

c
Moment, ach ja, gehen Sie hier rechts und dann die erste Straße links. Das Ärztehaus ist das zweite Gebäude links. Da gibt es sicher einen Zahnarzt.

d
Oh, das tut mir leid. Ich kenne den Weg auch nicht. Ich bin nicht von hier.

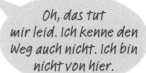

e
Klar, es ist gleich dort in der Goethestraße. Gehen Sie hier über die Salzstraße und über den Marktplatz am Museum vorbei. Dann gehen Sie nur noch über die Goethestraße und Sie stehen davor.

f
Ich glaube, die ist am Bahnhof. Ja, richtig. Das ist nicht weit. Gehen Sie hier geradeaus bis zur Parkstraße. Da gehen Sie links, an der Kirche und der Bank vorbei bis zur Schillerstraße. Die Touristeninformation ist gleich rechts vom Bahnhofsplatz. Das sehen Sie dann schon.

1 **Wichtige Adressen**

a) Kennen Sie Ihre Stadt? Diese Adressen sind wichtig. Suchen Sie sie im
Telefonbuch oder im Internet. Notieren Sie die Straße und die Telefonnummer.

Zahnarzt

Bibliothek

Post

Bürgerbüro

Polizei

Stadtplan

Volkshochschule

Agentur
für Arbeit

	Adresse und Tel.-Nr.
Polizei	Rudolstädter Straße 81 Notruf: 110

b) Arbeiten Sie zu zweit. Sie brauchen einen Stadtplan. Wählen Sie zwei Ziele
aus Aufgabe a) und beschreiben Sie den Weg von Ihrer Wohnung.

Redemittel	Zuerst	gehe ich hier rechts/links; bis zur Kreuzung / zur Ampel. geradeaus die ... Straße entlang.
	Dann	die erste/zweite/... Straße links/rechts.
	Danach	links, an der/dem ... vorbei.

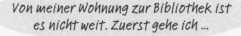

Von meiner Wohnung zur Bibliothek ist
es nicht weit. Zuerst gehe ich ...

2 Arbeit finden. Wo können Sie Arbeit in Deutschland finden? Sehen Sie die Fotos an und notieren Sie.

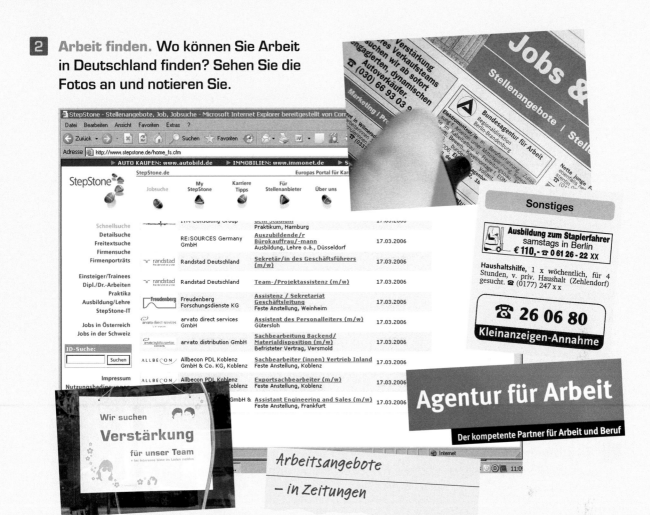

Arbeitsangebote
– in Zeitungen

3 Einen Termin machen. Herr Agdham möchte einen Termin bei der Arbeitsagentur machen. Lesen Sie die Sätze und ergänzen Sie den Dialog.

1. Oh, da habe ich schon einen Arzttermin.
2. Bitte bringen Sie Ihren Pass und Ihre Besucherkarte mit.
3. Wie war der Name? Können Sie ihn bitte buchstabieren?
4. Guten Tag, Agdham. Ich möchte einen Termin vereinbaren.

■ Klose, Agentur für Arbeit Südwest. Guten Tag.

◆ *4* ....

■ ....

◆ Aghdam. A-G-H-D-A-M.

■ Kommen Sie am Montag um 8.30 Uhr.

◆ ■ ....

■ Also, dann am Donnerstag um 16.00 Uhr.

■ ....

◆ Gut. Danke, und auf Wiederhören.

ausländischer Pass

Wien-Wochenende zum Supersparpreis von nur 149 Euro!

Erleben Sie ein Wochenende in einer der schönsten Städte Europas!

– drei Übernachtungen mit Frühstück
– 4-Sterne-Hotel in zentraler Lage (ca. 200 Meter zum Heldenplatz)
– Wien-Karte (Freie Fahrt für 72 Stunden mit Tram, U-Bahn und Bus)
– Stadtrundfahrt mit Eintritt ins Schloss Schönbrunn
– 1 Jause im Café Ritter (1 Melange oder Tasse Tee,
   1 Stück Sachertorte mit Schlag)

Grüezi Zürich!

Entdecken Sie die kleinste Metropole Europas.

drei Übernachtungen/Frühstücksbuffet/Doppelzimmer ab 99 Euro*

drei Übernachtungen/Frühstücksbuffet/Einzelzimmer ab 139 Euro*

ruhiges Hotel in der Altstadt

Stadtrundfahrt mit dem Classic Trolley Bus

ZürichCARD für 72 Stunden (freier Eintritt in 43 Museen und freie Fahrt mit Tram, Bahn, Bus und Schiff)

* alle Preise pro Person

Romantisches Hamburg – Welthafen à la carte!

ab 215 Euro

- zwei Übernachtungen mit Frühstück (Montag–Freitag)
- ruhiges 4-Sterne-Hotel in zentraler Lage (ca. 100 Meter zum Einkaufszentrum)
- Doppelzimmer mit Bad, TV, Telefon und Safe
- ein romantisches Abendessen für zwei Personen in unserem Restaurant
- Besuch auf dem Fischmarkt

München für Fußballfans!

Fußball in Deutschlands Fußball-Metropole live erleben! Schon ab 111 Euro pro Person im Doppelzimmer.

◆ zwei Übernachtungen mit Frühstück
◆ München Welcome Card (3-Tages-Ticket für die Innenstadt)
◆ „Fußballtour" (nur freitags) mit dem FC Bayern-Bus
◆ Besuch im Olympiastadion und in der Allianz-Arena
◆ Ein Fußballspiel live erleben

---

1 **Städtereisen. Wo waren die Personen?**
Lesen Sie die Anzeigen und die Postkarten. Ergänzen Sie.

Lieber Wolfgang!

Herzliche Grüße aus .... Hier ist es sehr interessant und das Wetter ist auch ganz gut. Leider ist das Hotel nicht besonders ruhig und auch nicht sehr billig. Ich muss für mein Zimmer 159 Euro bezahlen! Das Frühstücksbuffet ist aber wirklich super. Mit meiner Karte ist der Eintritt in alle Museen frei. So viele Museen kann ich in der kurzen Zeit gar nicht besichtigen. Das nächste Mal musst du mitkommen!

Deine Sabine

1

Hi Michael!

Herzliche Grüße aus .... Habe ich es nicht gesagt? Wir haben gewonnen! Es war super! Wir haben auch die Allianz-Arena besucht. Aber mit dem Bus vom FC Bayern sind wir nicht gefahren. Für die Stadtrundfahrt hatten wir vor dem Spiel am Freitag auch keine Zeit. Am Samstag haben wir doch noch die Stadt besichtigt und am Abend haben wir im Englischen Garten ein paar Bier getrunken. Morgen besichtigen wir noch das Olympiastadion und dann geht es gleich zum Bahnhof. Wir müssen alle am Montag wieder arbeiten ...

Gruss – Carlo

2

Hallo Wan Rong!

Der Kurzurlaub hier in .... war sehr schön und ich habe viel gesehen. In dieser Stadt ist alles so elegant. Zum Beispiel heißt der Milchkaffee hier nicht einfach Milchkaffee. Die Leute sagen ‚Melange'! Gestern hat es den ganzen Tag geregnet und wir haben eine Stadtrundfahrt gemacht. Wir haben auch das Schloss Schönbrunn besichtigt. Ich war in Sissis Appartement! Bald besuche ich dich in Berlin. Dann zeige ich dir die Fotos und erzähle dir alles.

Liebe Grüße!
Singyi

3

Liebe Claudia!

Ich schicke dir ganz herzliche Grüße aus .... Hier im Norden ist es sehr schön. Es regnet manchmal und ist auch etwas kalt, aber das macht nichts. Gestern haben wir einen Einkaufsbummel gemacht und heute Morgen waren wir schon auf dem Fischmarkt. Wir sind schon um fünf Uhr aufgestanden! Es war wirklich super. Gleich machen wir noch eine Hafenrundfahrt. Diese kurze Reise war eine tolle Idee!

Bis bald! Ariana und Tom

4

2 Wortfeld Urlaub. Ergänzen Sie.

senkrecht

1 Sich etwas ansehen, zum Beispiel ein altes Schloss:

eine .... machen.

2 In den Alpen gibt es viele ....
Einige sind sehr hoch!

4 Wir waren in den Sommer f...................................... in Österreich. Das war ein toller Urlaub!

5 Das .... war nicht so gut.
Das Zimmer war klein und das Frühstück schlecht.

8 Anderes Wort für Fahrradurlaub:

eine .... machen.

9 Wir haben in Italien viele Bilder gemacht.

Wollt ihr unsere .... mal sehen?

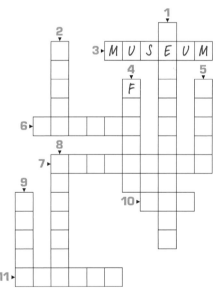

waagerecht

3 Die Nationalgalerie in Berlin ist ein .... Museum ....

6 Das .... war super! Immer Sonne und über 25 Grad.

7 Italien ist ein Top-..................................... für deutsche Autourlauber.

10 Wir machen eine Stadtrundfahrt mit dem ....

11 Sonne, Sand und Meer! Wir waren jeden Tag am ....

3 Urlaubsaktivitäten

a) Welches Verb passt (am besten)? Ordnen Sie zu.

am Strand	1	
ein Schloss	2	a besichtigen
spazieren	3	b machen
ein Picknick	4	c gehen
im Hotel	5	d liegen
durch die Altstadt	6	e übernachten
eine Radtour	7	f bummeln
ins Theater	8	

b) Schreiben Sie die passenden Aktivitäten unter die Bilder.

....

....

4 Monate und Jahreszeiten. Trennen Sie die Wörter und schreiben Sie den Text ins Heft. Schreiben Sie dann die vier Jahreszeiten und die Monatsnamen in die Tabelle.

ES|GIBT|VIERJAHRESZEITENJEDEDAUERTDREIMONATEIM
MÄRZBEGINNTDERFRÜHLINGDASWETTERKANNIMAPRIL
NOCHSCHLECHTSEINABERIMMAIISTSCHONALLESGRÜNI
NDENMONATENJUNIJULIUNDAUGUSTISTSOMMERDERHE
RBSTBEGINNTIMSEPTEMBERIMOKTOBERISTESKALTABER
DIESONNESCHEINTNOCHMANCHMALDERNOVEMBERISTS
CHONDUNKELUNDGRAUDERWINTERBEGINNTIMDEZEMB
ERERDAUERTBISZUMFEBRUARIMJANUARSCHNEITESOFT

(viertes Bild)

....   *Sommer:* ....

März ....

....

....

5 Partizip II

a) Ergänzen Sie die Tabelle: trennbar (+) oder untrennbar (–), die Formen im Präsens und das Partizip II.

Infinitiv	+/–	Präsens (er/es/sie)	Partizip II
absagen	+	sagt ... ab	abgesagt
ablehnen			
beginnen	–	beginnt	begonnen
bezahlen			
einladen			
einpacken			
(sich) entscheiden			
vergessen			
verlieren			
vorschlagen			
vorbereiten			

b) Ergänzen Sie den Text mit den Verbformen (Partizip II) aus der Tabelle.

Die Osterferien haben noch nicht

.... begonnen .... Das ist gut für Peter. Er möchte Urlaub machen und hat nicht viel Geld. In dieser Jahreszeit sind die Flüge und die Hotels nicht so teuer. Am Donnerstag hat er alle Termine für die nächsten zwei Wochen

.... abgesagt .... Am Freitag hat er noch schnell die Miete für den

Monat April ....[1]. Abends hat er seine Freunde zum

Essen ....[2]. Sie haben Italien als Reiseziel ....[3], aber Peter hat ....[4]. Er war schon so oft in Italien. Er hat sich für Griechenland ....[5] Er hat die Reise aber nicht gut ....[6] und nur schnell einige Sachen und zwei Bücher ....[7]

Am Montag war er dann schon früh im Reisezentrum auf dem Flughafen. Er hat ein Last-Minute-Flugticket nach Kreta gefunden, aber plötzlich war seine Kreditkarte weg! Er war ganz sicher, er hat sie nicht zu Hause ....[8] Er hat sie ....[9]!

Ohne Kreditkarte kein Urlaub! So ein Pech!

6 **Vor dem Urlaub. Wer hat vor dem Urlaub was gemacht? Ergänzen Sie den Text.**

– einen Stadtplan von Rom kaufen (Mo)
– Arzttermin absagen (Mo)
– Urlaub nehmen (Mi)
– ein Buch über das alte Rom lesen (Mi)
– den Hund zu Mario bringen (Do)

– das Hotel buchen (So)
– das Auto kontrollieren (Mi)
– die Reiseroute planen (Mi)
– die Koffer packen (Do)

Isabel   Michael

Isabel hat am Montag ....

und den ....

Am Mittwoch hat sie ihren ....

und ....

Am Donnerstag ....

Michael hat am Sonntag ....

Er hat am Mittwoch ....

und ....

Am Donnerstag hat er ....

7 *Haben* und *sein.* **Ergänzen Sie die Verbformen im Präsens.**

■ Der Urlaub war toll!

Wir ....*haben*........ viele Fotos.
Möchtest du die sehen?

◆ Klar!

■ Hier ....*sind*........ wir am Strand.

◆ Schönes Foto! ....[1] das
da Isabel?

■ Ja, Isabel ....[2] auf fast
allen Fotos.

◆ Wer hat die Fotos denn gemacht?

■ Tom. Er ....[3] eine neue Kamera.

◆ Ach so. Und woher kommen die Kinder?

■ Das ....[4] die beiden Kinder von Toms Freundin.

◆ Toms Freundin?

■ Ja. Sie heißt Linda. Du ....[5] nicht gut informiert.

◆ Naja, das ....[6] ja auch nicht so wichtig. ....[7]
ihr noch mehr Fotos?

■ Nein, das ....[8] alle.

◆ Du, ich gehe heute Abend zu Peters Party. ....[9] ihr auch da?

■ Nein, Isabel ....[10] müde und ich ....[11] keine Zeit.

Grammatik		haben	sein
	ich	*habe*	
	du		
	er/es/sie		*ist*
	wir		
	ihr		
	sie/Sie		

8 Partizip II mit *haben* oder *sein*?
Markieren Sie *haben* oder *sein*.
Ergänzen Sie dann die konjugierte Form.

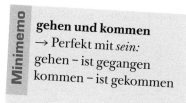

Minimemo

gehen und kommen
→ Perfekt mit *sein*:
gehen – ist gegangen
kommen – ist gekommen

	haben	sein		
1.	Ich	✗	☐	......*habe*...... gestern eine CD gekauft.
2.	Wohin	☐	☐	.... du in Urlaub gefahren?
3.	Wer	☐	☐	.... schon einmal in der Schweiz gewesen?
4.	Heute morgen	☐	☐	.... an der Kreuzung ein Unfall passiert.
5.	Meine Familie	☐	☐	.... am Wochenende einen Ausflug gemacht.
6.	Klaus und Farah	☐	☐	.... vor einer Stunde ins Kino gegangen.
7.	Wie lange	☐	☐	.... ihr in Berlin geblieben?
8.	Björn	☐	☐	.... vom Rad gefallen.
9.	Um wie viel Uhr	☐	☐	.... Sie gestern Abend nach London geflogen?
10.	Anne	☐	☐	.... den ganzen Abend mit ihrem Freund telefoniert.

9 *Sätze mit Zeitangabe.* **Notieren Sie die Sätze im Perfekt wie im Beispiel.**
Achten Sie auch auf *haben* und *sein*.

1. Gudrun geht spazieren. (am Sonntag)
   Gudrun ist am Sonntag spazieren gegangen.
   ....

2. Özgür reist in die Türkei. (letztes Jahr im Mai)
   ....

3. Die Waschmaschine funktioniert nicht. (am Wochenende)
   ....

4. Hannes bekommt eine Postkarte von Lisa aus Wien. (letzte Woche)
   ....

5. Sprichst du mit dem Vermieter? (heute Morgen)
   ....

6. Axel kommt um 21 Uhr an. (gestern)
   ....

7. Volker frühstückt. (um halb zehn)
   ....

8. Ich bleibe den ganzen Tag im Bett. (gestern)
   ....

10 **Sätze schreiben.** Benutzen Sie das Perfekt!

Die Deutschlehrerin war gestern krank. Sie ist nicht zum Unterricht gekommen. Was haben die Kursteilnehmer im Klassenzimmer gemacht?

1. *Jiang hat nur geschlafen.* ....
   nur – Jiang – schlafen – .

2. ....
   ....
   ihren – Mann – anrufen – Alfiya – .

3. ....
   ....
   eine Einkaufsliste – Ana – schreiben – .

4. ....
   ....
   Hausaufgaben – schon – machen – Lena – .

5. ....
   Tom – Musik – hören – .

6. ....
   ....
   sehen – Cem – dem Fenster – aus – .

7. ....
   ....
   Karten – Li und Olga – spielen – .

8. ....
   ....
   Toilette – Janina – gehen – zur – .

11 **Hannes hatte einen Unfall.** Ergänzen Sie den Text mit den passenden Präpositionen.

an – in – in – im – nach – ~~mit~~ – um – um – vom – zur

Gestern war es schön warm und Hannes ist nach der

Arbeit ......*mit*....[1] dem Fahrrad ....[2] den Park

gefahren. Er hat ....[3] Park seine Freunde getroffen

und sie haben Fußball gespielt. Da war noch alles okay.

...............[4] neun Uhr war es dunkel. Er wollte direkt

...............[5] Hause fahren, aber die Lampe ....[6]

seinem Fahrrad war kaputt. Plötzlich ist ein Radfahrer sehr schnell ....[7] die Ecke

gekommen und hat Hannes nicht gesehen. Er ist ....[8] das Rad von Hannes

gefahren und dann ....[9] Rad gefallen. Dem Radfahrer ist nichts passiert, aber

sein Rad war kaputt. Sie sind ....[10] Polizei gegangen.

1 Lebensmittel in Europa

a) Was meinen Sie?
Was ist richtig?
Kreuzen Sie an.

1. Die Deutschen essen Brot am liebsten mit Butter und ...

a) ▢ Wurst.

b) ▢ Käse.

c) ▢ Marmelade.

2. Wer hat im Jahr 2003 mehr als 360 Millionen Liter Kaffee getrunken?

a) ▢ Die Österreicher.

b) ▢ Die Italiener.

c) ▢ Die Deutschen.

3. Welches Land ist im Schokoladeessen die Nummer eins?

a) ▢ Dänemark.

b) ▢ Deutschland.

c) ▢ Die Schweiz.

4. Bei welchem Getränk steht Deutschland international auf Platz eins?

a) ▢ Saft.

b) ▢ Kaffee.

c) ▢ Bier.

b) Lesen Sie die Texte und kontrollieren Sie Ihre Antworten.

BROT

Brot ist Leben. Mehr als 97 % der Deutschen essen jeden Tag Brot. Die Statistik sagt, jeder Deutsche isst 85 Kilo Brot im Jahr, das sind über 230 Gramm am Tag. Mit mehr als 400 verschiedenen Rezepten für Brot stehen deutsche Bäcker in der Welt auf Platz eins. Die meisten Rezepte sind für dunkles Brot. Das isst man in Deutschland lieber als helles Brot. Viele Deutsche essen Brot zum Frühstück und Abendessen, am liebsten mit Butter und Käse, aber auch mit Wurst, Schinken oder Marmelade.

KAFFEE

Im Jahr 2003 haben die Österreicher 362 Millionen Liter Kaffee getrunken! Kaffee ist das beliebteste Getränk. Allein in den letzten vier Jahren hat sich der Espressomarkt beinahe vervierfacht und rund 25 % der Österreicher haben heute eine Espressomaschine im Haus. Die traditionelle Basis des Kaffeeverbrauchs in Österreich ist aber immer noch die gute Tasse Kaffee beim Frühstück zu Hause oder bei der Kaffeepause in einem Café.

SCHOKOLADE

Schokolade – wer kann da schon nein sagen? Im internationalen Vergleich essen die Schweizer und Schweizerinnen am meisten Schokolade, am liebsten Milchschokolade (80 %). Im Jahr 2003 haben sie pro Kopf 11,3 Kilo Schokolade gegessen. In Europa folgt auf Platz zwei Dänemark mit 8,4 Kilo vor Deutschland mit 8,3 Kilo. Die Schweizer essen aber nicht nur viel Schokolade, sie produzieren und exportieren sie auch. Im Jahr 2003 hat die Schweiz 51% von ihren Schokoladeprodukten in über 130 Länder exportiert.

SAFT

Haben Sie das gewusst? Deutschland steht im Safttrinken international auf Platz eins! Im Jahr 2004 hat jeder Deutsche circa 40 Liter Saft getrunken. Apfelsaft ist mit etwa 13 Litern im Jahr das beliebteste Saftgetränk. Viele finden, er schmeckt besser als Orangensaft. In Deutschland mischt man Apfelsaft oft mit Mineralwasser. Das Getränk heißt dann Apfelschorle und schmeckt nicht so süß. Apfelschorle ist nicht nur bei Sportlern ein beliebtes Fitnessgetränk. Bei langen Autofahrten ist eine Apfelschorle in der Pause besser als eine Tasse Kaffee.

2 **Satzteile verbinden.** Verbinden Sie die Satzteile und kontrollieren Sie mit den Texten aus Aufgabe 1.

Im Essen von Schokolade sind die Dänen **1**
Eine Apfelschorle ist eine Mischung aus **2**
Kaffee ist das Lieblingsgetränk **3**
Die Schweizer haben im Jahr 2003 **4**
Fast alle Menschen in Deutschland **5**
Dunkles Brot essen die Deutschen lieber als **6**
Ein Viertel der Österreicher hat **7**
Milchschokolade essen **8**

a der Österreicher.
b helles Brot.
c zu Hause eine Espressomaschine.
d die Schweizer am liebsten.
e Mineralwasser und Apfelsaft.
f essen jeden Tag Brot.
g in Europa auf Platz zwei.
h pro Person fast 23 Pfund Schokolade gegessen.

3 **Obst oder Gemüse?** Was ist das? Ordnen Sie die Buchstaben. Kreuzen Sie an.

		Obst	Gemüse
1. RTFKOLEFA	Kartoffel	☐	☒
2. PAFLE		☐	☐
3. EEERRBED		☐	☐
4. KRIHCSE		☐	☐
5. PKIRAPA		☐	☐
6. MOTAET		☐	☐
7. ONGRAE		☐	☐
8. ZWEBELI		☐	☐
9. SLATA		☐	☐
10. BAENAN		☐	☐
11. TANSPI		☐	☐

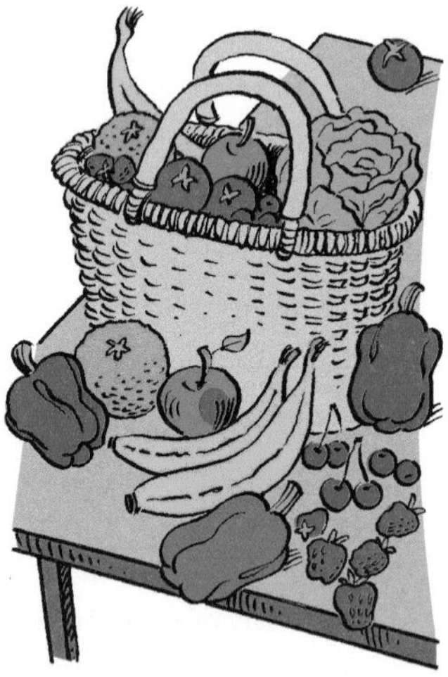

4 **Süß oder salzig?** Ordnen Sie die Wörter den Kategorien „Zucker" und „Salz" zu und ergänzen Sie die Artikel.

Kartoffel – Ei – Nudel – ~~Tee~~ – Spinat – Sahne – Erdbeere – Schokolade – Eis – Käse – Tomate – Wurst – Orangensaft – Schinken – ~~Fleisch~~ – Hähnchen – Paprika – Kaffee – Kirsche – Marmelade – Fisch – Pommes – Kuchen

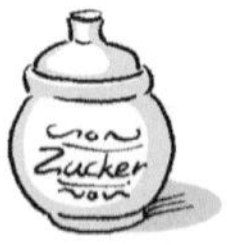

der Tee,

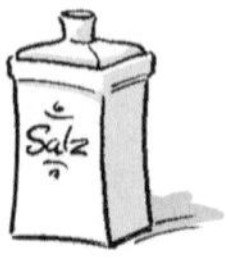

das Fleisch,

5 Gül kauft ein. Sie kann noch nicht so gut Deutsch und bereitet
den Einkauf gut vor.

a) Nur ein Wort passt. Markieren Sie es.

Beutel	Chips – Wurst – Vollmilch – Schokolade
Tafel	Sauerkraut – Paprika – Schokolade – Butter
Packung	Hähnchen – Wurst – Kartoffeln – Reis
Dose	Bananen – Sauerkraut – Spaghetti – Butter
Kilo	Kartoffeln – Ketchup – Vollmilch – Eier
Stück	Erdbeeren – Fisch – Eier – Butter
Liter	Salat – Brot – Schokolade – Vollmilch
Flasche	Ketchup – Orangen – Käse – Fleisch
Becher	Nudeln – Sahne – Brot – Wurst

b) Ergänzen Sie den unbestimmten Artikel.

Nominativ Singular

ein .... Beutel

eine .... Tafel   .... Stück

.... Packung   .... Liter

.... Dose   .... Flasche

.... Kilo   .... Becher

Ich hätte gern ...

**c) Ergänzen Sie nun den Dialog. Die Einkaufsliste hilft. Bei welchen Wörtern
ändert sich der Artikel im Akkusativ?**

■ Sie wünschen bitte?

◆ Ich hätte gern ......*einen Beutel*...... ¹ Chips und

.... ² Schokolade.

■ Ist das alles?

◆ Nein, ich brauche auch noch .... ³ Reis

und .... ⁴ Sauerkraut.

■ Noch etwas?

◆ Ja. Haben Sie frische Vollmilch?

■ Natürlich. Wie viel Milch möchten Sie?

◆ Ich nehme .... ⁵. Ach, ich brauche auch noch

.... ⁶ Butter und .... ⁷ Sahne.

■ Bitte schön. Darf es sonst noch etwas sein?

◆ .... ⁸ Tomatenketchup.

■ Ist das dann alles?

◆ Was kostet .... ⁹ Kartoffeln?

■ 1 Euro 22. Das sind ganz frische Frühkartoffeln.

◆ Das ist günstig. Dann nehme ich gleich zwei Kilo. Das ist alles. Was macht das?

■ Einen Moment. Das macht zusammen 11,85 bitte.

1 x Chips
1 x Schokolade
1 x Reis
1 x Sauerkraut
1 x Milch
1 x Butter
1 x Sahne
1 x Ketchup
Kartoffeln

6 **Auf dem Markt.** **Was sagt der Kunde? Kreuzen Sie an. Wie heißt das Lösungswort?**

■ Guten Tag, Sie wünschen?

    ◆ R Vielen Dank. Haben Sie auch Äpfel?
    ◆ E Guten Tag. Ich hätte gern ein Kilo Äpfel.
    ◆ T Wie geht es Ihnen? Ich brauche Äpfel.

■ Sonst noch etwas?

    ◆ I Zwei Paprika.
    ◆ S Das ist günstig.
    ◆ E Ja, geben Sie mir bitte auch einen Liter Milch.

■ Die sind leider nicht mehr ganz frisch. Wollen Sie sie heute essen?

    ◆ A Nein, das geht nicht.
    ◆ N Nein. Dann nehme ich lieber keine.
    ◆ T Ja, das ist eine gute Idee.

■ Tut mir wirklich leid. Morgen haben wir wieder frische Paprikas. Noch etwas?

    ◆ R Wie viel kosten die Eier?
    ◆ A Ist der Salat im Angebot?
    ◆ K Was kosten die Kirschen?

■ 500 g kosten 2 Euro 99. Das sind die ersten aus Spanien.

    ◆ A Das ist teuer, aber ich nehme zwei Pfund.
    ◆ U Das ist aber billig. Geben Sie mir bitte nur ein halbes Pfund.
    ◆ G Geben Sie mir bitte eine.

■ Bitte, ein Kilo Kirschen. Wir haben heute auch frische Erdbeeren.

    ◆ C Und was kosten die?
    ◆ E Kommen die auch aus Spanien?
    ◆ U Danke, aber ich brauche noch vier Bananen.

■ Ja, gern. Darf es sonst noch etwas sein?

    ◆ F Nein, danke. Das ist alles.
    ◆ N Ja. Haben Sie auch frische Kartoffeln?
    ◆ H Nein. Geben Sie mir bitte die Rechnung.

■ Das macht zusammen 8 Euro 18.

Lösungswort: der ....

7 **Auf dem Wochenmarkt. Ordnen Sie die Wörter.**

■ *Guten Tag, Sie wünschen?* ....
  , – guten – Sie – wünschen – Tag – ?

■ ....
  die – sind – frisch – Erdbeeren – ?

◆ ....
  ja – , – frisch – sind – die – .

◆ ....
  ich – eine – darf – probieren – ?

■ ....
  ja gern – , – möchten – wie viele – Sie – ?

◆ ....
  ein – was – ? – Kilo – kostet

■ ....
  das – kostet – . – Kilo – 1 Euro 98

◆ ....
  mir – Sie – Kilo – . – zwei – geben

8 **Fragewort *welch-*. Fragen Sie kurz nach.**

1. ■ Hast du den Film schon gesehen?
   ◆ *Welchen Film?* ....
   ■ Good bye Lenin.

2. ■ Kennst du das Kind ?
   ◆ ....
   ■ Das Kind von Dirk.

3. Das ist der Mann.
   ◆ ....
   ■ Der Mann von Ariane.

4. ■ Ich habe die Bücher gefunden.
   ◆ ....
   ■ Deine Deutschbücher. Sie waren
     unter dem Sofa!

5. ■ Wir haben deine Nachbarin im
     Kino getroffen.
   ◆ ....
   ■ Die aus der dritten Etage.

6. ■ Du hast deinen Termin vergessen.
   ◆ ....
   ■ Den Termin beim Zahnarzt.

7. ■ Die Stühle sind kaputt.
   ◆ ....
   ■ Die beiden im Flur.

8. ■ Magst du dieses Brot?
   ◆ ....
   ■ Das Schwarzbrot.

9 **Mögen. Ergänzen und konjugieren Sie.**

1. ....*Mögt*............ ihr asiatische Küche,
   Wolfgang und Astrid? – Ja, sehr gern.

2. Hmmm, Sauerkraut. ....
   du das auch? – Nein, nicht so gern.

3. Ich .... Erdbeeren am
   liebsten mit Sahne.

4. Meine Eltern ....
   spanischen Rotwein am liebsten.

5. Erich isst gern italienisch, aber Pizza .... er nicht.

6. Wir .... Hamburger nicht so gern. Wir essen lieber Döner.

Grammatik		
	ich	....
	du	....
	er/es/sie	....
	wir	....
	ihr	*mögt*
	sie/Sie	....

10 **Mark und Julia.** **Lesen Sie die Texte und ergänzen Sie** *immer, oft, manchmal* **oder** *nie.*

1. Mark und Julia leben zusammen. Am Mittwoch-
nachmittag hat Mark frei. Dann geht er in den
Supermarkt und kauft Lebensmittel ein. Wenn
Mark keine Zeit hat, kauft Julia ein. Das passiert
aber nicht oft.

a) Mark kauft .... *oft* .... Lebensmittel ein.

b) Er geht dann .... in den Supermarkt.

c) Julia kauft nur .... Lebensmittel ein.

2. Julia ist in der Woche beruflich viel unterwegs.
Sie isst mittags meistens schnell einen Hamburger
mit Pommes oder eine Pizza. Mark möchte gesund
leben. Er nimmt jeden Tag einen frischen Salat
oder ein Käsebrot mit Tomaten zur Arbeit mit.
In die Kantine geht er nicht. Er findet das Essen
da nicht lecker.

a) Julia isst mittags .... eine Pizza.

b) Mark isst in seiner Mittagspause ....
etwas Gesundes.

c) Er isst .... in der Kantine.

3. Abends essen Julia und Mark zusammen. Mark
kocht gern. Meistens gibt es Nudeln oder Reis mit
Gemüse. Julia kocht einmal in der Woche.
Am liebsten macht sie ein Steak mit Kartoffeln.
Das kann sie aber nicht jede Woche machen.
Mark findet das nicht gut. Er ist Vegetarier.

a) Mark kocht .... Reis mit Gemüse.

b) Er isst .... Fleisch.

c) Julia macht .... ein Steak.

4. An ein oder zwei Tagen im Monat treffen Mark
und Julia Freunde zum Abendessen. Mit Peter und
Juliane gehen sie immer in ein Steakrestaurant.
Dann kann Mark nur eine gebackene Ofenkartof-
fel essen. Die besten Freunde von Mark sind auch
Vegetarier. Sie gehen meistens in ein vegetarisches
Restaurant oder zum Italiener.

a) Mark und Julia gehen abends .... mit
Freunden zum Essen in ein Restaurant.

b) Im Steakrestaurant nimmt Mark ....
eine gebackene Ofenkartoffel.

c) Mit den besten Freunden von Mark gehen sie

.... in ein Steakrestaurant.

11 Komparation

a) Ergänzen Sie gut – besser (als) – am besten.

Florian findet Aktivurlaub ......*gut*......[1]. Der Fahrradurlaub im letzten Jahr hat

ihm bis jetzt ....[2] gefallen. Er hat ihm sogar noch ....[3]

gefallen ....[4] die Bergwanderung in den Dolomiten. Einen Urlaub in

einer Stadt findet Florian nicht so ....[5].

b) Ergänzen Sie viel – mehr (als) – am meisten.

Herr Rahn ist Redakteur. Er trinkt sehr ....[1] Kaffee. Sein Arzt sagt, das

ist nicht gesund. Er muss ....[2] Wasser oder Saft trinken. Aber Herr Rahn

trinkt immer noch ....[3] Kaffee ....[4] andere Getränke.

Er trinkt schon vor dem Frühstück die erste Tasse. ....[5] Kaffee trinkt er
nachmittags bei der Arbeit.

c) Ergänzen Sie gern – lieber (als) – am liebsten.

Andrea hat vor einem Jahr die Schule beendet. Sie hat lange überlegt, welcher Beruf

zu ihr passt. ....[1] wollte sie in einem Restaurant oder Hotel arbeiten.
Aber schon bald hat sie gemerkt, die Arbeit als Kellnerin macht sie nicht so

......................[2]. Jetzt hat sie doch noch ihren Traumberuf gefunden: Sie kocht

......................[3] für sich und noch ....[4] für ihre Freunde. Nun will sie
aus dem Hobby einen Beruf machen.

12 Am liebsten ... Lesen Sie die Texte. Ergänzen Sie dann die Hitlisten.

Imke ist vier Jahre alt. Sie isst gern Eis. Paprika mag sie nicht so gern wie Eis.
Pommes isst sie noch lieber als Schokolade, und Schokolade mag sie lieber als Eis.

Hitliste 1. .... 2. *Schokolade* .... 3. .... 4. ....

Marit ist erst zwei. Sie isst nicht so gern Spinat wie Nudeln. Sie findet Nudeln so
lecker wie Reis, aber nicht so lecker wie Eis. Schokolade schmeckt ihr besser als Eis.

Hitliste 1. .... 2. .... 3. .... 4. ....

13 Andrea kocht für ihre Freunde Gemüsereis mit Fisch. Ergänzen Sie das Rezept.

Zutaten
250 g Reis
1 Zwiebel
2 Paprika (rot + grün)
3–4 Tomaten
500 g Fisch
Salz und Pfeffer

ZUBEREITUNG

Reis ....[1] Die Paprika in Streifen ....[2].

Die Zwiebel und ....[3] in Würfel ....[4].

Das Gemüse in einer Pfanne ......*anbraten*......[5].

Den ....[6] in eine Form ....[7] und mit etwas

......................[8] und Pfeffer würzen. Im Backofen bei 200 Grad ca. 20 Min.

......................[9]. Den Reis mit dem Gemüse ....[10].

Fisch – Salz – Tomaten – geben – schneiden (2x) – verrühren – kochen – anbraten – backen

1 Beruf Einkäuferin. Bringen Sie die Textteile in die richtige Reihenfolge.

[1] Es ist Mitte April, es ist sonnig und die ersten Straßencafés sind geöffnet. Die Menschen freuen sich über den warmen Tag. Bald ist Sommer. Ulla Steinmeyer (43) freut sich auch über

einen Beruf gemacht. Sie hat sich schon immer für Mode interessiert und kauft auch gerne ein. Nach der Schule hat sie eine Ausbildung als Verkäuferin in einem Modegeschäft gemacht. Über zwanzig Jahre später

Schuhe für den Sommer kaufen. Aber das geht leider nicht. Ulla sitzt an ihrem Schreibtisch. Sie ist Einkäuferin für ein großes Modegeschäft. Man kann sagen, sie hat aus ihrem Hobby

das schöne Frühlingswetter. Am liebsten möchte sie gleich einen langen Bummel durch die Fußgängerzone machen und ein neues Kleid, eine modische Bluse oder ein Paar schicke

die Kunden und Kundinnen sicher gut. Die Sachen dürfen aber nicht zu teuer sein. Bis morgen muss Ulla die Bestellungen für die neue Wintermode für Frauen fertig machen. Das ist nicht so einfach. Ihr Chef

[6] die Modemessen für den nächsten Winter in München, Düsseldorf, Leipzig und Frankfurt besucht. Das findet sie immer besonders interessant. Sie weiß jetzt schon, im nächsten Winter sind die Röcke

sieht die Verkaufszahlen immer sehr genau an. Im letzten Jahr hat sie für die Geschäfte in ganz Deutschland 5000 hellgrüne Sommerpullover bestellt. Den Kundinnen hat die Farbe, die Form oder das Material aber

ist sie immer noch bei der Firma, aber in einer anderen Abteilung. Seit fast zehn Jahren verkauft sie die Kleidung nicht mehr, sie kauft sie ein. Ulla hat in diesem Jahr wieder von Januar bis März

wieder lang, die Mäntel kurz und alles ist nicht mehr so bunt. Dunkle Farben und einfache Formen sind wieder in. Die Sachen sind gut kombinierbar und die Materialien kommen aus der Natur. Das finden

nicht gefallen. Ulla hat ihren Freundinnen den Pullover gezeigt. Sie haben gesagt, er ist zu teuer und die Farbe ist auch nicht schön. Im Herbst waren mehr als 2000 Pullover noch nicht verkauft. Das darf nicht wieder passieren.

2 **Farben lesen.** Lesen Sie die Farben schnell und laut vor. Welche Wörter haben die richtige Farbe? Kreuzen Sie an.

Grün	Gelb	Schwarz	Blau	Orange	Rot

Hatten Sie Probleme? Viele Menschen sehen zuerst das Wort und nicht die Farbe!

3 **Kleidungsstücke für Frauen und Männer.** Ergänzen Sie den Artikel und die Singular- und Pluralformen. Kreuzen Sie dann *Frauen* und/oder *Männer* an.

	Artikel	Singular	Plural	Frauen	Männer
a)	der	Mantel	Mäntel	X	X
b)					
c)					
d)					
e)					
f)					
g)					
h)					
i)					
j)					
k)					
l)					
m)					

a
b
c
d
e
f
g
h
i
j
k
l
m

4 **Berufskleidung in Deutschland.** Zwei Kleidungsstücke passen nicht zu den Berufen. Welche?

1. Eine Zahnärztin trägt ... ~~einen Trainingsanzug~~ – eine weiße Jeans – ein helles T-Shirt – ~~eine kurze Hose~~ – bequeme Schuhe

2. Automechaniker tragen ... blaue Jacken – kurze Hosen – rote Hemden – Arbeitsschuhe – dunkle Krawatten

3. Kellner tragen ... schwarze Hosen – helle Stiefel – weiße Hemden – dunkelrote Mäntel – schwarze Schuhe

4. Ein Bankangestellter trägt ... einen dunklen Mantel – einen grauen Anzug – ein hellblaues Hemd – eine dunkle Krawatte – ein oranges T-Shirt

5. Bäcker tragen ... blaue Anzüge – helle T-Shirts – weiße Jacken – weiße Mützen – warme Stiefel

6. Eine Fitnesstrainerin trägt ... ein weißes T-Shirt – einen kurzen Rock – ein dunkles Abendkleid – bunte Sportschuhe – einen grünen Trainingsanzug

5 **Lieblingskleidung. Wie heißen diese Personen? Sehen Sie die Bilder an. Ergänzen Sie die Namen und Kleidungsstücke.**

1. .... trägt am Wochenende am liebsten eine

   graue ......*Jeans*......... und eine schwarze ....

2. .... zieht am liebsten ihren bunten

   .... an. Dazu trägt sie gern ein weißes

   .... und braune ....

3. .... hat im Winter immer seinen

   langen .... an. Am liebsten trägt er

   dazu seinen dunkelgrünen ....

4. .... mag elegante Kleidung. Sie zieht gern ein

   rotes .... und schwarze .... an.

5. .... findet elegante Kleidung auch am schönsten. Er trägt

   oft einen schwarzen ...., ein weißes ....

   und eine rote ....

Monika

Robert

Peter

Birgit

Michael

6 **Zu lang, zu kurz ... Sehen Sie die Bilder an und ergänzen Sie die Adjektive.**

hell – lang – teuer – ~~klein~~ – kurz – bunt – groß

Elena hat heute Nachmittag in der Stadt einen Einkaufsbummel gemacht.
Zuerst hat sie eine rote und eine grüne Hose anprobiert. Die rote Hose war

...........*zu klein*...........[1] und die grüne ....[2]. Die Verkäuferin hat
ihr auch eine Winterjacke gezeigt. Die hat Elena aber gar nicht gut gefallen.

Sie war viel ....[3]. In ihrem Lieblingsgeschäft hat sie einen tollen

dunkelblauen Pullover gesehen. Aber er war viel ....[4]. Danach hat
sie eine schwarze Jeans anprobiert. Leider war die Hose in Größe 32

.............................[5]. In Größe 30 hatte das Geschäft die Hose nur noch in Weiß.

Das war Elena für den Winter ....[6]. Endlich hat sie eine schicke

Jacke gefunden. Aber 350 Euro waren Elena einfach ....[7]. Sie hat
nichts gekauft und ist wieder nach Hause gegangen.

7 **Unbestimmte Artikel im Akkusativ.** Markieren Sie zuerst
Singular oder Plural. Ergänzen Sie dann den unbestimmten
Artikel oder /.

Singular   Plural

1. Ich suche ....*einen*........ blauen **Pullover**.   X ▪
2. Ich finde .... bunte **Jacken** im Winter schön.   ▪ ▪
3. Ich suche .... schwarzen **Anzug** in Größe 48.   ▪ ▪
4. Das ist ja .... neuer **Wintermantel**! Der steht dir sehr gut. ▪ ▪
5. Haben Sie .... blauen **Rock** in Größe 38?   ▪ ▪
6. Hast du .... neue **Schuhe**? – Ja. Gefallen sie dir?   ▪ ▪
7. Mir stehen .... graue **Hemden** nicht besonders gut.   ▪ ▪
8. Ich möchte .... leichte **Sommerjacke** kaufen.   ▪ ▪

8 **Gegenteile. Ruth macht alles anders. Ergänzen Sie die Sätze wie im Beispiel.**

1. Olga kauft eine teure Jacke. Ruth kauft

   ....*eine preiswerte*........ Jacke.

> **!** **Lerntipp**
>
> **Adjektive immer mit
> dem Gegenteil lernen:**
> alt – neu

2. Olga mag große Autos. Ruth mag .... Autos.
3. Olga trägt eine helle Hose. Ruth trägt

   .... Hose.
4. Olga hat einen neuen Computer. Ruth hat .... Computer.
5. Olga hat kurze Haare. Ruth hat .... Haare.

9 **Wörterchaos! Korrigieren Sie die Sätze mit den passenden Wörtern.
Achten Sie auf die unbestimmten Artikel und Adjektivendungen.**

~~Eis~~ – Tomatensuppe – Auto – Pullover – Kamera – Lehrer

1. Ute isst oft einen großen Rock.

   Ute isst oft ein großes Eis.
   ....

2. Tom fährt einen schnellen Stuhl.

   ....

3. Im Deutschunterricht haben wir eine gute Brille.

   ....

4. Ich mag abends gern einen heißen Computer.

   ....

5. Herr Stein trägt am liebsten eine grüne Freundin.

   ....

6. Frau Rahn kauft vor dem Urlaub einen neuen Unterricht.

   ....

10 *Welch-...? – Dies-...* **Ergänzen Sie.**

1.

■ Bringen Sie mir bitte das blaue Hemd?

◆ ....¹ Hemd meinen Sie?

■ Das Hemd oben rechts.

◆ Meinen Sie ....² ?

■ Ja, danke.

2.

■ ....³ Teppich finde ich schön!

◆ ....⁴ meinst du?

■ Den braunen.

◆ Der ist nicht so schön wie ....⁵ hier.

..................................⁶ ? Der hellgraue? Die Farbe passt aber nicht zu unserem Sofa.

3.

■ Wie gefällt dir die Wohnung?

◆ Ich weiß nicht. Ist ....⁶ Wohnung nicht zu klein?

■ ....⁶ findest du denn besser?

◆ Die Wohnung in der Wiechernstraße.

11 **Im Schuhgeschäft. Ordnen Sie zuerst die Wörter und dann den Dialog.**

1 *Guten Tag, ich brauche neue Schuhe.* ....

Tag – brauche – neue – guten – Schuhe – . – , – ich

....

in – Ihrer – braunes – Schuhgröße – habe – ein – im – Angebot – Paar – ich – .

....

Größe – Sie – welche – ? – haben

....

bringe – ich – Moment – , – Ihnen – die – Schuhe – .

....

passen – die – sehr – mir – gut – .

....

nein – nehme – diese – danke – , – ich – .

....

Schuhgröße – ich – 42 – . – trage

....

anprobieren – ? – kann – die – ich – mal

....

möchten – noch – Sie – Paar – anderes – ein – probieren – ?

12 **Aprilwetter.** Sehen Sie sich die Wettertabelle an und ergänzen Sie den Text mit passenden Wetterwörtern.

Freitag	**Vormittag**	22°	X				X
	Nachmittag	11°			X		
Samstag	**Vormittag**	4°		X			
	Nachmittag	1°				X	
Sonntag	**Vormittag**	10°		X			
	Nachmittag	19°	X		X		
Wetter							

~~sonnig~~ – Regen – bewölkt – windig – geschneit – Wolken – Wetter – sonnig – warm – kalt – Schnee – geregnet

Das war ein Wochenende! Typisch April! Am Freitag war es vormittags schön

.......*sonnig*.......¹ und ....². 22 Grad! Ich habe etwas im Garten

gearbeitet. Plötzlich war es ziemlich ....³. Am Nachmittag wollte ich

im Park spazieren gehen, aber ein Spaziergang im ....⁴ macht keinen

Spaß. Es war auch ....⁵. Die Temperatur ist plötzlich auf elf Grad

gefallen. Ich bin zu Hause geblieben und habe gelesen.

Am Samstagvormittag hatten wir nur noch vier Grad, und der Himmel war stark

.......................⁶. Ich habe nur schnell ein paar Lebensmittel eingekauft. Am

späten Nachmittag hat es dann ....⁷! ....⁸ im April!

Am Sonntag war es vormittags mit 10° C schon wieder etwas wärmer, aber am Himmel

waren viele ....⁹. Am frühen Nachmittag war es schön warm und

.......................¹⁰. Wir hatten 19 Grad. Aber um 16 Uhr hat es schon wieder

.......................¹¹. Hoffentlich ist das ....¹² nächste Woche besser!

1 Gesund essen – gesund bleiben

a) Was meinen Sie? Welche Tipps für eine gesunde Ernährung sind richtig? Kreuzen Sie an.

1. ☐ Iss oft, aber wenig.
2. ☒ Du musst oft Obst und Gemüse essen.
3. ☐ Iss jeden Tag Fleisch.
4. ☐ Nimm mehr Salz und Zucker.
5. ☐ Iss nicht so schnell.
6. ☐ Trink viel Wasser.
7. ☐ Iss nicht so oft Milchprodukte.
8. ☐ Koch jede Woche mindestens zweimal Fisch.
9. ☐ Iss Kartoffeln, Brot, Nudeln und Reis.

b) Lesen Sie nun den Text. Kontrollieren Sie Ihre Antworten in Aufgabe a). War alles richtig?

Wir essen zu viel, zu süß und zu fett. Falsche Ernährung und zu wenig Bewegung können krank machen. Aber man kann etwas für die Gesundheit tun:
Eine gute Ernährung und viel Bewegung helfen und sind gut für das Gewicht und die Fitness. Diese zehn einfachen Regeln zeigen: Richtig essen kann lecker und gesund sein!

Vollwertig essen – und gesund bleiben

1. Oft verschiedene Lebensmittel
2. Viel Brot, Reis, Nudeln und Kartoffeln
3. Fünfmal am Tag Gemüse und Obst
4. Täglich Milch und Milchprodukte
5. Ein- bis zweimal Fisch pro Woche; nicht zu viel Fleisch, Wurst und Eier
6. Nicht zu viel Zucker und Salz
7. Täglich 1,5 Liter Wasser oder Getränke mit wenig Kalorien
8. Lecker, aber mit wenig Fett, Zucker oder Salz kochen
9. Sich für das Essen Zeit nehmen
10. Viel Bewegung

Reis, Nudeln, Kartoffeln, Brot — 30 %
Fette, Öle — 2
Fleisch, Wurst, Fisch, Eier — 7
Obst — 17
Milch, Milchprodukte — 18
Gemüse, Salat — 26

© Globus 9705

2 Nomen mit Körperteilen. **Was ist das? Schreiben Sie die Wörter auf.**

1. *die Augen* + *der Arzt* = *der Augenarzt*
   (Pl.)

2. .... + ... = ...
   (Pl.) *(Pl.)*

3. .... + ... = ...
   (Pl.)

4. .... + ... = ...

5. .... + ... = ...

3 Körperteile. **Ergänzen Sie die Körperteile im Singular (ß = ss).**

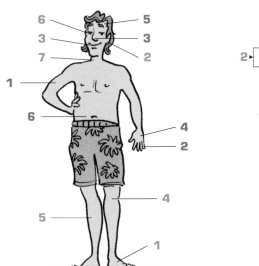

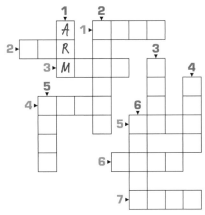

4 Krankheiten. **Ergänzen Sie die Wörter.**

Hals – Bauchschmerzen – Nase – eine Erkältung – Fieber – Kopfschmerzen

1. Toms .... läuft. Er hat Schnupfen.

2. Heute ist Olgas Körpertemperatur 38,4° Celsius. Sie hat ....

3. Frau May tun der .... und der Kopf weh.

   Sie hat ....

4. Der kleine Michi hat zu viel Eis gegessen. Er hat ....

5. Viele Menschen bekommen bei Stress ....

5 **Beim Arzt.** Ordnen Sie die Wörter und ergänzen Sie die Sätze.

1. Wraetimzmer   Nehmen Sie bitte einen Moment im _Wartezimmer_ Platz.

2. Qautral   Waren Sie in diesem .... schon einmal bei uns?

3. Ttbleate   Nehmen Sie dreimal täglich eine ....

4. Knkrahcseirbnug   Ich brauche für meinen Arbeitgeber eine ....

5. Rpezet   Ich schreibe Ihnen ein .... für Hustensaft.

6. Tmiren   Haben Sie einen .... ?

7. Vreichernsugskaert   Haben Sie Ihre .... mitgebracht?

8. Mkaedimnet   Ich verschreibe Ihnen ein .... gegen das Fieber.

6 **Unfallstatistik.** Lesen Sie den Text und ergänzen Sie die Buchstaben.

Im J .... r 2002 sind in Deut ..... hl .... d

8,72 Millionen Me ..... ch .... nach

Un ..... äl ..... en zum A .... t gegangen oder

ins Kr ..... k ..... h .... s gekommen.

Die m ..... st .... Unfälle sind zu

H .... passiert! Aber auch in der Fr .... t hat es m .... r

Unfälle als in der S .... e oder bei der ..... b ..... t gegeben. Nur eine

halbe Mi ..... ion Unfälle sind im Str .... v ..... k .... r passiert.

Diese Unfälle waren aber leider oft sehr sc .... r!

Unfallopfer
Jährlich durch Unfälle Verletzte in Deutschland

davon durch:
Hausunfall 2,73 Mio.
Freizeitunfall 2,63
Schulunfall 1,50
Arbeitsunfall 1,36
Verkehrsunfall 0,50

Verletzte insgesamt 8,72 Millionen

verschiedene Maßstäbe (Stand 2002)
Quelle: Bundesanstalt für Arbeitsschutz und Arbeitsmedizin

7 **Modalverben.** Ergänzen Sie *dürfen* oder *müssen*. Denken Sie auch an die Verbform.

1. Du hustest den ganzen Tag und hast schon wieder Zigaretten gekauft. Du _darfst_ doch nicht mehr rauchen!

2. Ich .... nach dem Unterricht zum Zahnarzt gehen. Ich habe Zahnschmerzen.

3. Ihr .... nicht so viel Sahnetorte essen. Danach habt ihr wieder Bauch- schmerzen.

4. Was hat der Arzt gesagt? .... du wieder Fußball spielen?

5. Herr Merino .... diese Woche im Bett bleiben. Er hat Fieber. Sein Arzt sagt, Arbeit ist verboten!

6. Du hast eine Erkältung? Du .... viel trinken und viel frisches Obst essen.

7. Silvia ist noch etwas erkältet. Sie .... noch nicht schwimmen gehen.

8. Ich war eine Woche krank. Mein Magen! Jetzt geht es mir wieder gut. Ich .... wieder alles essen.

9. Ihr wollt nächste Woche in den Alpen klettern? Dann .... ihr aber gesund und fit sein.

10. Der Arzt sagt, wir .... mehr Sport machen.

8 **Imperativ.** Ergänzen Sie die Formen wie im Beispiel.

Verb	2. Person	Imperativ	
machen	du _machst_	_Mach_	doch mal Urlaub in Italien.
	ihr _macht_	_Macht_	doch mal Urlaub in Italien.
	Sie _machen_	_Machen Sie_	doch mal Urlaub in Italien.
essen	du		öfter Fisch.
	ihr		öfter Fisch.
	Sie		öfter Fisch.
gehen	du		mehr spazieren.
	ihr		mehr spazieren.
	Sie		mehr spazieren.
schlafen	du		nicht vor dem Fernseher.
	ihr		nicht vor dem Fernseher.
	Sie		nicht vor dem Fernseher.
trinken	du		jeden Tag einen Liter Wasser.
	ihr		jeden Tag einen Liter Wasser.
	Sie		jeden Tag einen Liter Wasser.
nehmen	du		weniger Salz.
	ihr		weniger Salz.
	Sie		weniger Salz.

9 **Tipps für Ihre Gesundheit.** Schreiben Sie die Sätze im Imperativ.

1. Sie müssen mehr Sport machen.
   Machen Sie mehr Sport!

2. Du musst gut schlafen.

3. Ihr müsst öfter mal zu Fuß gehen.

4. Sie müssen mehr Obst und Gemüse essen.

5. Du darfst nicht so viel Alkohol trinken.

6. Ihr müsst vor dem Essen eine Tablette nehmen.

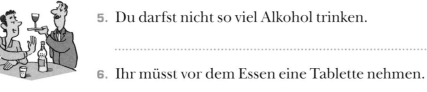

10 Ein „Wiedersehen" im Internet

a) Ergänzen Sie in der Tabelle die fehlenden Personalpronomen im Nominativ und Akkusativ.

Grammatik

Nominativ	Akkusativ
ich	....
....	dich
er/es/sie	/ /
....	uns
ihr	....
sie/Sie	/

b) Lisa und Ludger waren Schulfreunde. Lisa hat nach vielen Jahren Ludger auf der Internetseite ihrer Schule gefunden. Er ist auch gerade online. Markieren Sie Nominativ oder Akkusativ wie im Beispiel und ergänzen Sie die fehlenden Personalpronomen.

Lisa: Hallo, ... *ich* ...... (<u>Nom.</u>/Akk.) bin es, Lisa. Kennst du ...... *mich* ...... (Nom./<u>Akk.</u>) noch?

Ludger: Welche Lisa? Kenne ich .... (Nom./Akk.)?

Lisa: Ja, ... (Nom./Akk.) waren zusammen auf der Schule.

Ludger: Das war vor so vielen Jahren! .... (Nom./Akk.) weißt noch, wer .... (Nom./Akk.) bin?

Lisa: Ja, klar! Du hattest lange Haare und warst immer mit Holger zusammen. .... (Nom./Akk.) habt fast nichts alleine gemacht.

Ludger: Holger? Du kennst .... (Nom./Akk.) also auch?

Lisa: Nicht gut, aber ich habe .... (Nom./Akk.) beide oft in der Pause gesehen.
Ludger: Tja, Holger war mein bester Freund.

Lisa: Was macht .... (Nom./Akk.) denn jetzt?

Ludger: Keine Ahnung. .... (Nom./Akk.) ist, glaube ich, nach dem Studium ins Ausland gegangen.

Lisa: Und was machst .... (Nom./Akk.) jetzt? Bist du verheiratet?
Ludger: Ja, mit Lynn. Wir haben uns in Washington kennen gelernt.

Lisa: Du warst in den USA? Was hast .... (Nom./Akk.) da gemacht? Und wo hast du .... (Nom./Akk.) denn kennen gelernt?

Ludger: Ich war fünf Jahre an der deutschen Botschaft in Washington. Wir haben .... (Nom./Akk.) bei einem Abendessen bei Freunden getroffen.

Lisa: Das ist ja interessant. Und wo lebt .... (Nom./Akk.) jetzt?

Ludger: .... (Nom./Akk.) sind jetzt wieder in Berlin. Wir haben schon zwei Kinder!

Lisa: Du hast auch Kinder? Ich kann .... (Nom./Akk.) nicht glauben! Schick doch mal ein Foto von deiner Familie ☺.

Ludger: Mach ich. Möchtest du .... (Nom./Akk.) mal besuchen? Es gibt sicher viel zu erzählen.

Lisa: Ja, ich besuche .... (Nom./Akk.) gerne mal. Wie ist eure Adresse?

...

11 **Nach dem Arztbesuch.** Herr Moll ist krank. Er war beim Arzt. Jetzt ist er wieder zu Hause. Zuerst spricht er mit seiner Frau (Dialog A) und dann ruft er seinen Chef an (Dialog B). Wer sagt was? Kreuzen Sie in der Tabelle *Frau Moll* oder *der Chef* an. Ergänzen Sie dann die beiden Dialoge.

	Frau Moll	der Chef
a) Da bist du ja wieder. Wie geht es dir?	X	
b) Ach, das ist jetzt nicht so wichtig. Bringen Sie die Krankschreibung einfach am Montag mit.		
c) Getränkemarkt Kunze. Guten Tag!		
d) Das ist kein Problem. Ich muss auch noch etwas einkaufen. Brauchst du noch etwas?		
e) Sie sind krank? Das tut mir leid. Was fehlt Ihnen denn?		
f) Mach das zuerst. Hast du auch ein Rezept bekommen? Der Arzt hat dir doch sicher Medikamente verschrieben.		
g) Naja, dann erholen Sie sich gut! Hoffentlich geht es Ihnen dann schnell wieder besser.		
h) Hat er dir eine Krankschreibung für deinen Arbeitgeber gegeben?		
i) Erkältet? Waren Sie auch schon beim Arzt?		

Dialog A: Herr Moll spricht mit seiner Frau.

Frau Moll: *a Da bist du ja wieder. Wie geht es dir?* ....

Herr Moll: Nicht besonders gut. Der Arzt sagt, ich muss drei Tage im Bett bleiben und viel schlafen. Mit der Erkältung kann ich nicht arbeiten.

Frau Moll: ....

Herr Moll: Ja, ich rufe meinen Chef gleich an.

Frau Moll: ....

Herr Moll: Das habe ich fast vergessen. Kannst du für mich in die Apotheke gehen?

Frau Moll: ....

Herr Moll: Bitte bring mir frisches Obst mit. Ich brauche viel Vitamin C.

Dialog B: Herr Moll ruft seinen Chef an.

Herr Kunze: ....

Herr Moll: Guten Tag! Hier Frank Moll. Ich bin krank und kann heute nicht zur Arbeit kommen.

Herr Kunze: ....

Herr Moll: Ich bin total erkältet.

Herr Kunze: ....

Herr Moll: Ja, der Arzt hat mich bis Montag krank geschrieben.

Herr Kunze: ....

Herr Moll: Vielen Dank! Meine Frau kann Ihnen die Krankschreibung bringen.

Herr Kunze: ....

1 **Urlaub in Deutschland.** Sehen Sie die Fotos an und lesen Sie die Texte. Was kann man wo machen? Ordnen Sie zu.

Bodensee

Usedom

Deutschlands zweitgrößte Insel ist mit 40 km Sandstrand ein Ferienparadies! In den berühmten Seebädern Ahlbeck, Bansin, Heringsdorf oder Zinnowitz können Sie Sonne, Strand und Meer genießen. Aber auch Radfahren oder Wandern macht in dem 472 km² großen Naturpark Spaß. Eine Sehenswürdigkeit sind die Seebrücken, z. B. in Ahlbeck.

Deutschlands größter See liegt im Dreiländereck Deutschland, Österreich und der Schweiz. In der schönen Landschaft kann man lange Wanderungen, Rad- und Bootstouren machen.

Dresden – Florenz an der Elbe

Die Landeshauptstadt von Sachsen, malerisch an der Elbe gelegen, ist ein europäisches Kunst- und Kulturzentrum. Berühmte Sehenswürdigkeiten sind der Zwinger und die Gemäldegalerie.

Zugspitze

Deutschlands höchsten Berg (2962 m) besuchen jährlich ca. 500 000 Besucher. Im Sommer kann man wandern und bergsteigen und von November bis Mai vergnügen sich die Skifahrer.

Strandurlaub ....

Rad fahren ....

Ski fahren ....

wandern ....

eine Stadtrundfahrt machen ....

ein Museum besichtigen ....

segeln ....

bergsteigen ....

2 **Touristen-Hits**

a) Lesen Sie den Text und die Statistik. Welche Aussagen sind richtig?

Deutschland ist ein attraktives Reiseland für Touristen. Alljährlich reisen Millionen von Menschen durch das Land. Sie machen Urlaub, entspannen sich, essen gut und besichtigen die vielen Sehenswürdigkeiten. Besonders attraktiv ist der Kölner Dom mit jährlich sechs Millionen Besuchern. Auf dem zweiten Platz liegt die Rüdesheimer Drosselgasse, gefolgt vom Reichstag in Berlin und der Bonner Museumsmeile.

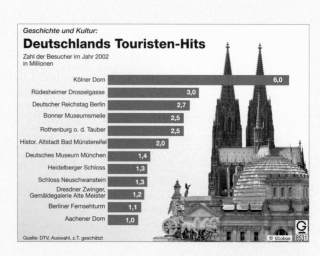

Geschichte und Kultur:
Deutschlands Touristen-Hits
Zahl der Besucher im Jahr 2002 in Millionen

Kölner Dom	6,0
Rüdesheimer Drosselgasse	3,0
Deutscher Reichstag Berlin	2,7
Bonner Museumsmeile	2,5
Rothenburg o. d. Tauber	2,5
Histor. Altstadt Bad Münstereifel	2,0
Deutsches Museum München	1,4
Heidelberger Schloss	1,3
Schloss Neuschwanstein	1,3
Dresdner Zwinger, Gemäldegalerie Alte Meister	1,2
Berliner Fernsehturm	1,1
Aachener Dom	1,0

Quelle: DTV, Auswahl, z.T. geschätzt   © Globus 8531

1. ▢ In Deutschland kann man nicht gut essen.
2. ▢ Die Touristen besichtigen viele Sehenswürdigkeiten.
3. ▢ Den Kölner Dom besuchen pro Jahr sechs Millionen Besucher.
4. ▢ Der Reichstag in Berlin ist auf Position 5.

b) Welche „Touristen-Hits" möchten Sie gern besichtigen?

3 Bitte bleiben Sie gesund!

a) Welches Bild passt zu welchem Text? Ordnen Sie zu.

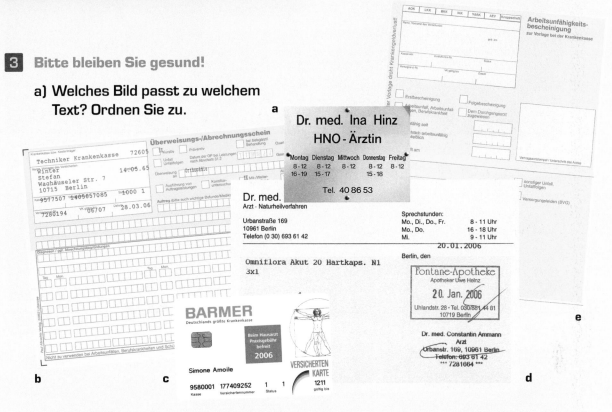

1. ▨ Das ist eine Versichertenkarte. Man braucht sie für den Besuch beim Arzt.
2. ▨ Der Arzt schreibt eine Krankschreibung. Das Original schickt man an seine Krankenkasse. Die Kopie ist für den Arbeitgeber oder die Schule.
3. ▨ Der Hausarzt schreibt eine Überweisung für das Krankenhaus oder den Facharzt.
4. ▨ Für viele Medikamente braucht man ein Rezept vom Arzt. Mit dem Rezept geht man in die Apotheke.
5. ▨ Das Arztschild informiert über die Sprechzeiten und die Telefonnummer. Man ruft in der Praxis an und vereinbart einen Termin.

b) Was ist richtig? Kreuzen Sie an. Korrigieren Sie die falschen Aussagen.

1. ▨ Mit einer Versichertenkarte kann ich einen Arzt anrufen.
2. ▨ Das Rezept gebe ich der Kranken-kasse.
3. ▨ Ein Arztschild informiert über Sprechzeiten und Telefonnummer.
4. ▨ Die Krankschreibung schickt man an die Apotheke.
5. ▨ Für den Facharzt und das Kranken-haus brauche ich eine Überweisung.

> **Landeskunde**
>
> In Deutschland muss man beim Arzt eine Praxisgebühr bezahlen. Pro Quartal zahlt man 10 Euro. Muss man zu einem anderen Arzt gehen, bekommt man eine Über-weisung.

4 Wortfeld Arzt. Machen Sie ein Wörternetz zum Thema Arzt.

5 **Einkaufen.** Sehen Sie die Fotos an und notieren Sie: Was kaufen Sie wo?

Drogerie

Markt

Supermarkt

Bäcker

Kaufhaus

Tabak-/Zeitungsladen

Internet

Katalog

www.otto.de

Tante-Emma-Laden

Was?	Wo?
Kosmetik	in der Drogerie
Obst	auf dem Markt

Obst kaufe ich meistens auf dem Markt.

6 **Öffnungszeiten.** Vergleichen Sie die beiden Karten. Was fällt Ihnen auf?

Haarstudio Gitti
Badensche Straße 27
10715 Berlin
Tel/Fax: 030/873 99 56
Di.–Fr.: 10–18 Uhr · Sa.: 10–14 Uhr

Czerr
FEINBÄCKEREI · KONDITOREI
BISTRO
Berliner Straße 19 · 10715 Berlin
Tel.: 030 / 873 65 41
Fax: 030 / 861 14 10
Mo.–Fr. 6.30–18 Uhr
Sa., So. 7–16 Uhr

Landeskunde

In Deutschland gibt es unterschiedliche Öffnungszeiten. Die meisten Geschäfte öffnen montags bis samstags. Große Kaufhäuser und Supermärkte haben oft bis 20 Uhr geöffnet. Bäcker und Tankstellen dürfen auch am Sonntag geöffnet haben. Auch die Geschäfte im Bahnhof dürfen spätabends und sonntags verkaufen.

7 Im Kaufhaus

a) Sehen Sie sich die Tafel an und lesen Sie die Sätze. Was finden Sie wo?

> *Eine Vase finde ich in der Haushaltswarenabteilung im ersten Stock.*

1. Sie möchten Ihrer Mutter eine Vase zum Geburtstag schenken.
2. Ihre Tochter, fünf Jahre, braucht eine neue Hose.
3. Der Sommer ist bald da! Sie suchen ein neues Kleid.
4. Am Samstagabend sind Sie zu einer Party eingeladen und Sie möchten einen neuen Lippenstift kaufen.
5. Ihr Radio ist kaputt und Sie möchten ein neues kaufen.

4.	Schreibwaren Theaterkasse Bücher Haushaltswaren
3.	Kinderbekleidung Spielwaren Damenwäsche Heimtextilien
2.	Herrenbekleidung Foto Unterhaltungselektronik Herrenwäsche
1.	Damenbekleidung Schuhe Schirme, Lederwaren Reisebüro, Frisiersalon
E.	Lebensmittel Uhren/Schmuck Parfümerie „Fabiani" Strümpfe

b) Was sagt der Kunde / die Kundin, was der Verkäufer / die Verkäuferin? Ordnen Sie zu und schreiben Sie kleine Dialoge ins Heft.

1 Haben Sie die Hose auch in 40?

2 Ich hätte diesen Pullover gern in Schwarz.

a Kann ich Ihnen helfen?

b Die Kasse ist dort hinten rechts.

c Bis 20 Uhr.

d In der Multimediaabteilung im vierten Stock.

3 Ach bitte, wo kann ich das bezahlen?

4 Danke, ich möchte erst mal schauen.

e Größe 40? Da muss ich nachsehen. Einen Moment, bitte.

5 Wo finde ich Computerspiele?

6 Wie lange haben Sie heute geöffnet?

f Tut mir Leid, den gibt es nur in Rot.

Landeskunde

Viele Länder haben unterschiedliche Größenangaben. Einige Geschäfte in Deutschland geben amerikanische Größen an.

Deutschland	36–38	40–42	44–46
USA	S	M	L
England	8–10	12–14	16–18
Frankreich	38–40	42–44	46–48
Japan	9	11–13	15–17

Die Größenangaben bei Kinderkleidung richtet sich nach der Körpergröße: Babys von 50 bis 104, Kinder von 128 bis 176.

Lösungsschlüssel

1 Café d

1

6 Musik, 5 Computer, 3 Restaurant, 2 Sprachschule, 1 Sport

2

2. hundert, 3. sechzig, 4. siebzig, 5. tausend, 6. achtzehn, 7. siebzehn, 8. zwölf

3

2. 0621, 3. 38, 4. 16,70, 5. 74 36 82

4

5

2. spielen, 3. kommen, 4. bezahlen, 5. Telefonnummer, 6. Grammatik, 7. Rechnung

6

2. arbeite, 3. Danke, 4. zwei, 5. Woher, 6. getrennt, 7. Guten, 8. aus, 9. nummer, 10. Name, 11. bin
Lösungswort: RADIERGUMMI

7

Im Café: ihr – Wir – du – Ich
Im Deutschkurs: Ich – Sie – Ich – Sie – Wir – Er

8

2. Wie ...? – Sie findet die Stadt fantastisch.
3. Wo ...? – Sie arbeitet bei Siemens.
4. Woher ...? – Er kommt aus der Türkei.
5. Wie ...? – Ich heiße Julia.
6. Claudia und Peter, was ...? – Wir trinken Milchkaffee.

9

ich	komme, kenne, heiße, wohne
du	bist, hörst, möchtest, kommst
er/sie/es	trinkt, arbeitet, ist
ihr	trinkt, arbeitet, seid
wir	nehmen, möchten, sind, zahlen
sie/Sie	nehmen, möchten, sind, zahlen

10

1. studiere, 2. ist – lebe – bin, 3. bin – arbeite – lebe, 4. bin – komme – lerne

11

1b: Peter arbeitet bei Siemens.
1d: Peter arbeitet an der Universität.
2c: Ihr kommt aus China.
2e: Ihr kommt mit Petra zur Party.
3a: Du studierst in München.
3d: Du studierst an der Universität.
3f: Du studierst seit zwei Semestern Biologie.

12

		a	b
5	Wir möchten bezahlen.	X	
1	Guten Tag! Was möchten Sie trinken?		X
4	Also Eistee und ein Glas Wein.		X
7	Zusammen, bitte.	X	
2	Ich nehme ein Glas Wein. Und was trinkst du?	X	
8	Das macht 6,20 Euro.		X
6	Zusammen oder getrennt?		X
11	Wiedersehen.	X	
3	Eistee.	X	
10	Danke. Auf Wiedersehen.		X
9	6,50 Euro. Bitte.	X	

2 Im Sprachkurs

1

Karin	Peter	Kate	Hwee Lin	Manolo	Susanne	
X	X		X			lernen eine Fremdsprache.
X			X	X	X	sind nicht verheiratet.
X						ist Lehrerin.
X	X	X	X			haben kein Kind.
	X	X	X	X		leben im Ausland.
			X			möchte in ihrer Heimat leben.
	X	X			X	finden klassische Musik schön.

2

2. der Füller, Füller – 3. das Bild, Bilder –
4. das Buch, Bücher – 5. die Tafel, Tafeln –
6. das Heft, Hefte – 7. die Tasche, Taschen –
8. der Schwamm, Schwämme – 9. der Stuhl, Stühle

3

1. *der:* Bleistift, Fernseher
2. *das:* Lernplakat, Heft, Papier, Handy, Wörterbuch, Kind
3. *die:* Stadt, Kreide, Hausaufgabe, Arbeit, Pause, Tasche, Lehrerin
Lösung: Wir lernen Deutsch.

4

1. die; 2. X; 3. das, das; 4. ein, der; 5. eine, eine; 6. das, eine, ein

5

2. Endung: -e   – d passt nicht
3. Endung: -er   – d passt nicht
4. Endung: -˝er   – b passt nicht
5. Endung: -n   – b passt nicht
6. Endung: -en   – c passt nicht
7. Endung: -   – c passt nicht
8. Endung: -s   – a passt nicht

6

2. das Eis + der Tee = der Eistee
3. die Zahlen + das Lotto = das Zahlenlotto
4. das Telefon + das Buch = das Telefonbuch
5. die Orangen + der Saft = der Orangensaft

7

2. ein – kein – ein Radiergummi, 3. x – keine – x Kulis,
4. ein – kein – ein Overheadprojektor, 5. eine –
keine – ein Lehrer

8

3. Nein, das ist kein Wort. Das ist eine Zahl.
4. Nein, das sind keine Namen. Das sind Telefonnummern.
5. Ja, das ist eine Telefonnummer.
6. Nein, das sind keine Städte. Das sind Länder.

9

2. Das verstehe ich nicht. (KT)
3. Können Sie das bitte wiederholen? (KL/KT)
4. Schreiben Sie das an die Tafel. (KL/KT)
5. Buchstabieren Sie das. (KL/KT)
6. Hören Sie. (KL)
7. Sprechen Sie bitte lauter. (KL/KT)
8. Entschuldigung, können wir eine Pause machen?
(KT)

10

1f, 2e, 4a, 5b, 6d

3 Städte – Länder – Sprachen

1

2. Alle Schüler, 3. Erich Hoffmann, 4. nach Alicante,
5. Deutsch, 6. Lernpartner, 7. Peter

2

A	O	H	A	N	N	O	V	E	R	B	U	M	M	O
G	R	A	Z	K	U	I	E	R	O	R	M	P	E	L
I	L	M	N	O	K	N	R	F	B	E	R	L	I	N
R	H	B	I	P	E	N	I	U	I	L	E	I	N	A
F	O	U	L	L	R	S	N	R	S	I	B	N	Z	L
B	E	R	N	L	W	B	A	T	Z	N	H	Z	E	B
A	W	G	O	E	I	R	L	X	L	U	S	E	R	O
F	R	A	N	K	F	U	R	T	D	D	I	Z	M	N
E	T	Z	A	R	E	C	T	U	L	L	W	I	E	N
E	Z	O	R	T	N	K	O	R	M	E	L	I	N	D

2. Graz, 3. Innsbruck, 4. Berlin, 5. Hamburg, 6. Erfurt,
7. Bern, 8. Bonn, 9. Frankfurt, 10. Linz, 11. Wien

3

1. Das Land liegt in Europa und ist kein Nachbar von
Deutschland. Es liegt südwestlich von Frankreich. Es
gibt viel Tourismus, Wein und Fußball. Die Hauptstadt heißt Madrid und liegt im Zentrum. Das Land
heißt *Spanien*.

2. Das Land liegt auch in Europa. Es liegt südlich
von Österreich und der Schweiz. Pizza kommt aus
dem Land. In der Hauptstadt Rom ist das Kolosseum. Das Land heißt *Italien*.

4

1. war – bin
2. Wart – war
3. bist – bin – Warst – war
4. wart – war – waren – Wart – sind
5. Waren – war – war – Ist

5

2. Woher – d, 3. Wo – b, 4. Wie – h, 5. Wo – c,
6. Wer – i, 7. Wie – g, 8. Wo – e, 9. Was – a

6

2. ?   5. ?   7. .
3. .   6. ?   8. ?
4. .

7

2. *Wo wohnt ihr*, Eva und Michael?
3. Herr Kim, *kommen Sie aus China*?
4. *Kennt ihr Jena*, Silva und Carol-Ann?
5. Laura, *welche Sprachen sprichst du*?
6. Herr und Frau Schiller, *wo waren Sie gestern*?
7. *Wo ist der Kreml*?
8. *Woher kommt ihr*, Marisa und Antonio?

8

du – sprichst, er/es/sie – spricht, wir – sprechen,
ihr – sprecht, sie/Sie – sprechen

2. spricht, 3. sprechen, 4. Sprichst, 5. spricht,
6. sprecht, 7. sprechen, 8. spreche

9

1 – leben, 2 – ist, 3 – kommt, 4 – spricht, 5 – ist,
6 – liegt, 7 – lebt, 8 – wohnt, 9 – spricht, 10 – lernt

10

2. kommst du – Ich komme aus – liegt/ist das –
liegt/ist
3. woher kommt ihr – Wir kommen – Warst du schon
(mal) – liegt/ist das – Das liegt/ist
4. Woher kommen Sie – Ich komme – Wo liegt/ist –
Das ist

4 Menschen und Häuser

1

	richtig	falsch
2. Florian lernt Deutsch.		✗
3. Florian lebt in einer Wohngemeinschaft.	✗	
4. Florian hat ein Zimmer mit Balkon.	✗	
5. Die Küche ist zu klein. Das ist ein Problem.		✗
6. Mit dem Badezimmer gibt es keine Probleme.		✗
7. In Deutschland kann Arifin bei Florian schlafen.	✗	

2

Kinderzimmer, Schlafzimmer, Badezimmer, Arbeitszimmer

3

der
Spielplatz
Orangensaft
Milchkaffee
Computertisch
Computerkurs
Bücherschrank
Wohnzimmerschrank
Wohnzimmertisch

das
Studentenwohnheim
Bücherregal
Telefonbuch

4

1– e: klein – groß, 2 – d: schön – hässlich, 3 – a: ruhig – laut, 4 – f: dunkel – hell, 6 – b: teuer – billig

5

a) 3. n, 4. Pl., 5. Pl., 6. n/Pl., 7. f
b) 2. unser, 3. mein, 4. eure, 5. deine, 6. ihr, 7. ihre, 8. Ihr

6

2. dein, 3. unsere, 4. ihr, 5. eure, 6. ihre, 7. Sein

7

2. einen (unbestimmt/Akkusativ), 3. der (bestimmt/Nominativ), 4. die (bestimmt/Akkusativ), 5. das (bestimmt/Nominativ), 6. eine (unbestimmt/Akkusativ), 7. ein (unbestimmt/Akkusativ), 8. die (bestimmt/Akkusativ), 9. die (bestimmt/Nominativ), 10. einen (unbestimmt/Akkusativ), 11. das (bestimmt/Nominativ)

8

2: ein, 3: einen, 4: ein, 5: ein, 7: ein, 8: ein, 9: einen, 10: einen, 11: ein, 12: ein, 13: einen, 14: X, 15: ein, 16: ein

9

2: Wohngemeinschaft, 3: teuer, 4: groß, 5: hell, 6: gibt, 7: Fenster, 8: keinen, 9: Regal, 10: Schränke, 11: hat, 12: Schreibtisch, 13: Stuhl, 14: Sessel, 15: Fenster
Das ist Zimmer a.

10

ich – schlafe, du – schläfst, er/es/sie – schläft, ihr – schlaft, sie/Sie – schlafen
2. schläft, 3. schläfst, 4. schlafen, 5. schlaft, 6. schlafen

11

2. Wie groß ist das Schlafzimmer?
3. Wo warst du gestern?
4. Hat euer Zimmer auch einen Balkon?
5. Wie findest du unsere Wohnung?
6. Steht das Bücherregal im Wohnzimmer?
7. Hast du keinen Fernseher?

12

Lösungswort: WOHNEN

Leben in Deutschland 1

2

1. *Ärztlicher Bereitschaftsdienst* 31 00 31
2. *EC-Karte* 069 / 74 09 87
3. *Giftnotruf* 192 40
4. *Krisendienst* 390 63 10
5. *Pannenhilfe (ADAC)* 0180 / 222 22 22
6. *Telekom-Störungsannahme* 0800 / 330 20 00

3

a) Bk. = Balkon; 2 Zi. = zwei Zimmer; EG = Erdgeschoss; Kü. = Küche; NK = Nebenkosten; DG = Dachgeschoss; NB = Neubau; ZH = Zentralheizung
b) 1c – 2b – 3d

5 Termine

1

2. 07:00, 3. 13:20, 4: 17:15, 5. 22:10, 6. 06:15, 7. 14:00, 8. 07:20, 9. 20:00, 10. 07:45
Reihenfolge: 1 – 6 – 2 – 8 – 10 – 3 – 7 – 4 – 9 – 5

2

2b, 3a, 4h, 5f, 6d, 7g, 8e

3

[...] Dann trinkt er in der Küche einen *Kaffee*. Um Viertel nach sieben fährt er mit dem *Auto* in die *Stadt*. Jeden Morgen gibt es einen langen *Stau*. Die kurze Fahrt dauert fast eine *Stunde*. Er ist erst um fünf nach acht in der *Praxis*. Zu spät. Er wartet fast dreißig *Minuten*. Der Zahnarzt hat heute viel *Arbeit*.

4

1. sehen, 2. kreuzen, 3. fangen, 4. schreibt, 5. rufe

5

1. an, 2. zu, 3. ab, 4. aus, 5. mit, 6. auf

6

2. Stehst ... auf, 3. schlägst ... vor, 4. macht ... mit,
5. kaufen ... ein, 6. rufen ... an

		M	I	T	K	O	M	M	E	N	
A	U	F	S	T	E	H	E	N			
			V	O	R	S	C	H	L	A	G	E	N
	M	I	T	M	A	C	H	E	N		
			E	I	N	K	A	U	F	E	N
			A	N	R	U	F	E	N		

7

2. Wann kauft ihr im Supermarkt ein?
3. Stehst du am Samstag spät auf?
4. Heiner sagt den Termin ab.
5. Anita und ihre Freunde gehen heute Abend aus.
6. Kommst du mit ins Theater?

8

2. E, 3. G, 4. A, 5. T, 6. I, 7. O, 8. N
Lösungswort: NEGATION

9

2. Nein, ich fahre nicht nach Nürnberg.
3. Nein, ich habe heute Abend keine Zeit.
4. Nein, Thomas hat am Montag nicht frei.
5. Nein, das ist nicht die Tasche von Elena.
6. Nein, wir trinken keine Cola.
7. Nein, ich habe keine Kinder.

10

1. Dialog
3: hatte, 4: ist, 6: ist, 7: war, 8: war, 9: hat, 10: war

2. Dialog
1: Wart, 2: waren, 3: Hattet, 4: war, 5: hatten, 6: war,
7: ist

3. Dialog
1: ist, 2: habe, 3: war, 4: waren, 5: war, 6: Haben,
7: habe, 8: Ist, 9: ist

11

ich – fahre, du – fährst, er/es/sie – fährt, ihr – fahrt,
sie/Sie – fahren
2. fahrt, 3. fährt, 4. fahren, 5. fährst, 6. fahren

12

1. c – 2. c – 3. a – 4. a – 5. b – 6. a – 7. b

1

a) 1a, 2d, 3b, 5c
b) 1c, 2b, 3b, 4a, 5c, 6b, 7b, 8a

2

a) *Wortfeld Verkehr:* 1. Stau, 2. Flughafen, 3. Stadtplan
b) *Wortfeld Häuser:* 4. Krankenhaus, 5. Oper, 6. Hotel,
7. Bahnhof, 8. Kino

3

2. siebzehnten Zweiten; 3. fünfundzwanzigsten
Dritten; 4. siebten Vierten; 5. achten Fünften;
6. sechzehnten Fünften; 7. elften (Sechsten) ... fünfundzwanzigsten Sechsten

4

2. mit dem Zug, 3. mit der Straßenbahn, 4. mit dem
Auto, 5. mit dem Bus – zu Fuß

5

1. vor der, 2. im, 3. mit – im – neben dem, 4. In dem –
an der

6

1: im, 2: In den, 3: im, 4: im, 5: zwischen den, 6: im,
7: unter dem, 8: neben der, 9: Im, 10: In der,
11: unter dem, 12: neben dem, 13: unter dem

Deutsch 3 a, Deutsch 2 b, Kantine d, Treppenhaus e,
Projektgalerie j, Lesezimmer i, Infowand g, Videoraum h, Sekretariat f

7

du – lädst ... ein, wir – laden ... ein, ihr – ladet ... ein,
sie/Sie – laden ... ein
1. Lädst ... ein, 2. lade ... ein, 3. lädt ... ein, 4. ladet ...
ein, 5. laden ... ein, 6. laden ... ein

8

1: ist, 3: macht, 4: hat, 5: geht, 6: spielt, 7: trifft,
8: schreibt, 10: fährt, 11: kauft ... ein, 12: kommt,
13: kochen

7 Berufe

1

	Sabine	Marion	Monika	Stefanie	Ralf	Carsten	Helga	
					✗	✗		... haben viele Kolleginnen.
	✗		✗	✗	✗		✗	... arbeiten auch am Wochenende.
	✗	✗	✗	✗		✗		... interessieren sich für Technik.
	✗		✗					... sind beruflich oft im Ausland.
		✗		✗				... reparieren etwas.
		✗	✗	✗			✗	... sind Chefinnen.

2

2. Schere, 3. Sekretariat, 4. Geschäft, 5. Briefe, 6. Kinder

3

2. Arzt, 3. Taxifahrerin, 4. Lehrerin, 5. Redakteur, 6. Sekretärin, 7. Kellner

4

	Schule	Bank	Verlag	Arztpraxis
Buch	✗		✗	
Direktor	✗	✗	✗	
Patient				✗
Sprechstunde	✗			✗
Kunde		✗	✗	
Unterricht	✗			
Ärztin				✗
Redakteur			✗	
Krankenversicherung				✗
Sekretärin	✗	✗	✗	

5

2. unterrichtet ... Schule, 3. verkauft ... Buchhandlung, 4. berät/bedient ... Bank, 5. schreibt ... Sekretariat

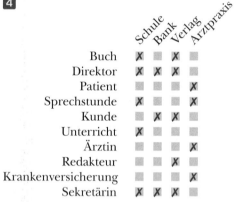

V	S	E	K	R	E	T	A	R	I	A	T
E	A	U	R	U	L	J	C	H	S	U	L
S	B	R	O	C	H	S	C	H	U	L	E
R	B	D	N	U	I	M	C	D	I	R	E
W	E	N	K	S	T	A	T	D	S	G	K
L	E	N	E	R	R	K	P	I	O	B	T
A	G	R	N	D	I	D	S	T	N	A	O
B	U	C	H	H	A	N	D	L	U	N	G
G	S	R	A	G	T	E	M	D	K	K	L
W	A	D	O	G	E	N	B	R	E	T	U
M	F	R	I	S	Ö	R	S	A	L	O	N

6

Olaf Edelmann ist *Programmierer* von Beruf. Er arbeitet bei *e-soft* in *München*. Die *Adresse* ist Waldstraße 13 a. Seine *Faxnummer* ist 089/765-33 32 und seine *Telefonnummer* ist 089/765-33 31.

Sabine Jahn ist *Frisörin* von Beruf. Ihr Arbeitsplatz ist der Frisörsalon *Schere*. Sie arbeitet von 9 bis 18 Uhr und am *Samstag* von 8 bis 14 Uhr. Der Frisörsalon hat die Telefonnummer *0721/55 46 67* und ist in *Karlsruhe* in der Goldstraße 17.

7

1: Arbeitslosigkeit, 2: arbeitslos, 3: Arbeit, 4: Arbeitsagentur, 5: Arbeitsmarkt

8

2. dein (das/Akkusativ), 3. Ihr (der/Nominativ), 4. ihre (die/Akkusativ), 5. seinen (der/Akkusativ), 6. ihre (die/ Nominativ), 7. deine (die/Akkusativ), 8. eure (die/Nominativ), 9. ihr (das/Akkusativ)

9

2. Meine Frau hat ein Schuhgeschäft.
3. Sabine mag ihre Chefin nicht.
4. Herr Lehmann bringt sein Auto in die Werkstatt.
5. Wie lange kennst du deine Kundinnen?
6. Ihr Termin bei der Arbeitsagentur ist am Montag.
7. Unsere Direktorin unterrichtet Englisch und Biologie.
8. Paul bringt seine Kinder in den Kindergarten.

10

1. einen (der), 2. eine (die), 3. Ihr (das), 4. einen (der), 5. eine (die), 6. unseren (der), 8. ein (das), 9. deinen (der), 10. meine (die)

11

ich kann – du kannst – er/es/sie kann – wir können – ihr könnt – sie/Sie können

ich muss – du musst – er/es/sie muss – wir müssen – ihr müsst – sie/Sie müssen

1. kann, 2. muss, 3. Könnt, 4. Kann, 5. Müsst, 7. können – müssen, 7. Kann

12

2. müssen – bringen, 3. muss – sitzen, 4. Könnt – reparieren, 5. Kannst – einkaufen – Musst – arbeiten

13

2e – 3b – 4j – 5a – 6g – 7c – 8h – 9f – 10i

8 Münster sehen

1

2. Alle Münsteraner fahren jeden Tag mit dem Fahrrad. ☐ ✗ ☐
3. Nach der Statistik hat jeder Münsteraner zwei Fahrräder. ✗ ☐ *4*
4. Herr Detering fährt mit der Bahn nach Hause. ✗ ☐ *14*
5. Autos dürfen in Münster nicht fahren. ☐ ✗ ☐
6. Susanne und Farah haben lange einen Parkplatz gesucht. ☐ ✗ ☐
7. Osnabrück liegt im Nordosten von Münster. ✗ ☐ *17*
8. Olaf ist Mechaniker von Beruf. ☐ ✗ ☐
9. Touristen aus vielen Ländern besuchen Münster. ✗ ☐ *29*
10. In der Radstation gibt es auch eine Touristeninformation. ✗ ☐ *27*

2

2. Geschäft, 3. Kirche, 4. Fußgängerzone, 5. U-Bahn, 6. Ampel, 7. Fahrrad

3

2 g; 3 c, g, h, k; 4 c, i, k; 5 a, b, k; 6 b, c, g; 7 c, f, g, h; 8 c, d, j; 9 a, b; 10 a, b, c, e, g, k; 11 a, b

4

1. Er ist unter dem Bett.
2. Er ist auf dem Koffer.
3. Er ist zwischen den Büchern.
4. Er ist an der Wand.
5. Er ist vor dem Fernseher.
6. Er ist neben dem Stadtplan.

5

1b, 2b, 3c, 4c, 5a

6

2. Wohin, 3. Woher, 4. Wo, 5. Wohin, 6. Wo, 7. Wo, 8. Woher, 9. Wo

7

ich will – du willst – er/sie/es will – wir wollen – ihr wollt – sie wollen
2. will, 3. wollt, 4. willst, 5. will, 6. wollen

8

1. muss; 2. Könnt; 3. will; 4. Können; 5. will, muss; 6. Kannst; 7. muss, kann

9

a)
Dialog 1: Parkstraße, *Dialog 2:* Bank, *Dialog 3:* Theater

Dialog 1: 1: Stadtpark, 2: geradeaus, 3: dritte, 4: rechts
Dialog 2: 1: Bank, 2: in, 3: über, 4: den, 5: bis, 6: Kürschnerweg, 7: rechts, 8: erste
Dialog 3: 1: rechts, 2: am, 3: vorbei, 4: über, 5: Parkhaus, 6: in, 7: rechts

b) 1f, 2e, 3c

Leben in Deutschland 2

2

Arbeitsangebote kann man z. B. im Internet, in der Zeitung, im Wochenblatt, bei der Agentur für Arbeit und über Kleinanzeigen oder Aushänge in Läden finden.

3

3 – 1 – 2

9 Ferien und Urlaub

1

1. Zürich, 2. München, 3. Wien, 4. Hamburg

2

senkrecht: 1 Besichtigung, 2 Berge, 4 Ferien, 5 Hotel, 8 Radtour, 9 Fotos
waagerecht: 6 Wetter, 7 Reiseziel, 10 Bus, 11 Strand

3

a) 1d, 2a, 3c, 4b, 5e, 6f, 7b, 8c

b)
1. am Strand liegen, 2. ein Schloss besichtigen, 3. ein Picknick machen, 4. im Hotel übernachten, 5. durch die Altstadt bummeln, 6. eine Radtour machen, 7. ins Theater gehen, 8. spazieren gehen

4

Es gibt vier Jahreszeiten. Jede dauert drei Monate. Im März beginnt der Frühling. Das Wetter kann im April noch schlecht sein, aber im Mai ist schon alles grün. In den Monaten Juni, Juli und August ist Sommer. Der Herbst beginnt im September. Im Oktober ist es kalt, aber die Sonne scheint noch manchmal. Der November ist schon dunkel und grau. Der Winter beginnt im Dezember. Er dauert bis zum Februar. Im Januar schneit es oft.

Frühling: März, April, Mai
Sommer: Juni, Juli, August
Herbst: September, Oktober, November
Winter: Dezember, Januar, Februar

5

a)

Infinitiv	+/−	3. Person Singular Präsens (er/es/sie)	Perfekt
absagen	+	sagt ... ab	abgesagt
ablehnen	+	lehnt ... ab	abgelehnt
beginnen	−	beginnt	begonnen
bezahlen	−	bezahlt	bezahlt
einladen	+	lädt ... ein	eingeladen
einpacken	+	packt ... ein	eingepackt
(sich) ent-scheiden	−	entscheidet (sich)	(sich) ent-schieden
vergessen	−	vergisst	vergessen
verlieren	−	verliert	verloren
vorschlagen	+	schlägt vor	vorgeschlagen
vorbereiten	+	bereitet vor	vorbereitet

b)

1: bezahlt, 2: eingeladen, 3: vorgeschlagen,
4: abgelehnt, 5: entschieden, 6: vorbereitet,
7: eingepackt, 8: vergessen, 9: verloren

6

Isabel hat am Montag einen Stadtplan von Rom
gekauft und den Arzttermin abgesagt. Am Mittwoch
hat sie ihren Urlaub genommen und ein Buch über
das alte Rom gelesen. Am Donnerstag hat sie den
Hund zu Mario gebracht.

Michael hat am Sonntag das Hotel gebucht. Er hat
am Mittwoch das Auto kontrolliert und die Reiseroute geplant. Am Donnerstag hat er die Koffer gepackt.

7

ich habe – du hast – er/es/sie hat –
wir haben – ihr habt – sie haben

ich bin – du bist – er/es/sie ist –
wir sind – ihr seid – sie sind

1. Ist, 2. ist, 3. hat, 4. sind, 5. bist, 6. ist, 7. Habt,
8. sind, 9. Seid, 10. ist, 11. habe

8

2. bist, 3. ist, 4. ist, 5. hat; 6. sind, 7. seid, 8. ist,
9. sind, 10. hat

9

2. Özgür ist letztes Jahr im Mai in die Türkei gereist.
3. Die Waschmaschine hat am Wochenende nicht
funktioniert.
4. Hannes hat letzte Woche eine Postkarte von Lisa
aus Wien bekommen.
5. Hast du heute Morgen mit dem Vermieter
gesprochen?
6. Axel ist gestern um 21 Uhr angekommen.
7. Volker hat um halb zehn gefrühstückt.
8. Ich bin gestern den ganzen Tag im Bett geblieben.

10

2. Alfiya hat ihren Mann angerufen.
3. Ana hat eine Einkaufsliste geschrieben.
4. Lena hat schon Hausaufgaben gemacht.
5. Tom hat Musik gehört.
6. Cem hat aus dem Fenster gesehen.
7. Li und Olga haben Karten gespielt.
4. Janina ist zur Toilette gegangen.

11

2. in, 3. im, 4. Um, 5. nach, 6. an, 8. um, 9. in,
10. vom, 11. zur

10 Essen und trinken

1

1b, 2a, 3c, 4a

2

2e, 3a, 4h, 5f, 6b, 7c, 8d

3

	Obst	Gemüse
2. Apfel	✗	▢
3. Erdbeere	✗	▢
4. Kirsche	✗	▢
5. Paprika	▢	✗
6. Tomate	▢	✗
7. Orange	✗	▢
8. Zwiebel	▢	✗
9. Salat	▢	✗
10. Banane	✗	▢
11. Spinat	▢	✗

4

Zucker: die Sahne, die Erdbeere, die Schokolade,
das Eis, der Orangensaft, der Kaffee, die Kirsche,
die Marmelade, der Kuchen

Salz: die Kartoffel, das Ei, die Nudel, der Spinat,
der Käse, die Tomate, die Wurst, der Schinken,
das Hähnchen, die Paprika, der Fisch, die Pommes

5

a)

Tafel Schokolade, Packung Reis, Dose Sauerkraut,
Kilo Kartoffeln, Stück Butter, Liter Vollmilch,
Flasche Ketchup, Becher Sahne

b)

eine Packung, eine Dose, ein Kilo, ein Stück,
ein Liter, eine Flasche, ein Becher

c)

2: eine Tafel, 3: eine Packung, 4: eine Dose,
5: einen Liter, 6: ein Stück, 7: einen Becher,
8: Eine Flasche, 9: ein Kilo

6

Lösungswort: Einkauf

7

+ Guten Tag, Sie wünschen?
– Sind die Erdbeeren frisch?
+ Ja, die sind frisch.
– Darf ich eine probieren?
+ Ja gern, wie viele möchten Sie?
– Was kostet ein Kilo?
+ Das Kilo kostet 1 Euro 98.
– Geben Sie mir zwei Kilo.

8

2. Welches Kind?, 3. Welcher Mann?,
4. Welche Bücher?, 5. Welche Nachbarin?,
6. Welchen Termin?, 7. Welche Stühle?,
8. Welches Brot?

9

ich mag, du magst, er/es/sie mag, ihr mögt,
sie/Sie mögen
2. Magst, 3. mag, 4. mögen, 5. mag, 6 mögen

10

1. b) immer, c) manchmal; 2. a) oft, b) immer, c) nie;
3. a) oft, b) nie, c) manchmal; 4. a) manchmal,
b) immer, c) nie

11

a) 2: am besten; 3: besser, 4: als, 5: gut
b) 1: viel, 2: mehr, 3: mehr, 4: als, 5: am meisten
c) 1: am liebsten, 2: gern, 3: gern, 4: lieber

12

Imke: 1. Pommes, 2. Schokolade, 3. Eis, 4. Paprika
Marit: 1. Schokolade, 2. Eis, 3. Nudeln/Reis, 3. Spinat

13

1: kochen, 2: schneiden, 3: Tomaten, 4: schneiden,
6: Fisch, 7: geben, 8: Salz, 9: backen, 10: verrühren

11 Kleidung und Wetter

1

1, 4, 3, 2, 8, 6, 9, 5, 7, 10

2

gelb, blau, rot

3

	Artikel	Singular	Plural	Frauen	Männer
b)	der	Rock	Röcke	X	
c)	das	T-Shirt	T-Shirts	X	X
d)	der	Stiefel	Stiefel	X	X
e)	das	Hemd	Hemden		X
f)	der	Pullover	Pullover	X	X
g)	die	Bluse	Blusen	X	
h)	die	Jeans	Jeans	X	X
i)	das	Kleid	Kleider	X	
j)	die	Mütze	Mützen	X	X
k)	der	Anzug	Anzüge		X
l)	die	Hose	Hosen	X	X
m)	der	Schuh	Schuhe	X	X

4

1. Eine Zahnärztin trägt eine weiße Jeans, ein helles
T-Shirt, bequeme Schuhe.
2. Automechaniker tragen blaue Jacken, rote
Hemden, Arbeitsschuhe.
3. Kellner tragen schwarze Hosen, weiße Hemden,
schwarze Schuhe.
4. Ein Bankangestellter trägt einen grauen Anzug,
ein hellblaues Hemd, eine dunkle Krawatte.
5. Bäcker tragen helle T-Shirts, weiße Jacken, weiße
Mützen.
6. Eine Fitnesstrainerin trägt ein weißes T-Shirt,
bunte Sportschuhe, einen grünen Trainingsanzug.

5

1. Michael trägt am Wochenende am liebsten eine
graue Jeans und eine schwarze Jacke.
2. Birgit zieht am liebsten ihren bunten Rock an.
Dazu trägt sie gern ein weißes T-Shirt und braune
Stiefel.
3. Robert hat im Winter immer seinen langen Mantel
an. Am liebsten trägt er dazu seinen dunkelgrünen
Pullover.
4. Monika mag elegante Kleidung. Sie zieht gern ein
rotes Kleid und schwarze Schuhe an.
5. Peter findet elegante Kleidung auch am
schönsten. Er trägt oft einen schwarzen Anzug,
ein weißes Hemd und eine rote Krawatte.

6

2: zu lang, 3: zu bunt, 4: zu kurz, 5: zu groß,
6: zu hell, 7: zu teuer

7

2. – (Pl.), 3. einen (Sg.), 4. ein (Sg.), 5. einen (Sg.),
6. – (Pl.), 7. – (Pl.), 8. eine (Sg.)

8

2. kleine, 3. eine dunkle, 4. einen alten, 5. lange

9

2. Tom fährt ein schnelles Auto.
3. Im Deutschunterricht haben wir einen guten Lehrer.
4. Ich mag abends gern eine heiße Tomatensuppe.
5. Herr Stein trägt am liebsten einen grünen Pullover.
6. Frau Rahn kauft vor dem Urlaub eine neue Kamera.

10

1: Welches, 2: dieses, 3: Diesen, 4: Welchen, 5: dieser, 6: Welcher, 7: diese, 8: Welche

11

1. Guten Tag, ich brauche neue Schuhe.
2. Welche Größe haben Sie?
3. Ich trage Schuhgröße 42.
4. In Ihrer Schuhgröße habe ich ein braunes Paar im Angebot.
5. Kann ich die mal anprobieren?
6. Moment, ich bringe Ihnen die Schuhe.
7. Die passen mir sehr gut.
8. Möchten Sie noch ein anderes Paar probieren?
9. Nein danke, ich nehme diese.

12

2: warm; 3: windig, 4: Regen, 5: kalt, 6: bewölkt, 7: geschneit, 8: Schnee, 9: Wolken, 10: sonnig, 11: geregnet, 12: Wetter

12 Körper und Gesundheit

1

1. ▨ Iss oft, aber wenig.
2. ✗ Du musst oft Obst und Gemüse essen.
3. ▨ Iss jeden Tag Fleisch.
4. ▨ Nimm mehr Salz und Zucker.
5. ✗ Iss nicht so schnell.
6. ✗ Trink viel Wasser.
7. ▨ Iss nicht so oft Milchprodukte.
8. ✗ Koch jede Woche mindestens zweimal Fisch.
9. ✗ Iss viel Kartoffeln, Brot, Nudeln und Reis.

2

2. die Hand – die Schuhe – die Handschuhe,
3. die Lippen – der Stift – der Lippenstift,
4. das Ohr – der Ring – der Ohrring,
5. der Mund – das Wasser – das Mundwasser

3

senkrecht: 1. Arm, 2. Finger, 3. Nase, 4. Hand, 5. Kopf, 6. Bauch
waagerecht: 1. Fuss, 2. Ohr, 3. Mund, 4. Knie, 5. Bein, 6. Auge, 7. Hals

4

1. Nase, 2. Fieber, 3. Hals – eine Erkältung, 4. Bauchschmerzen, 5. Kopfschmerzen

5

2. Quartal, 3. Tablette, 4. Krankschreibung, 5. Rezept, 6. Termin, 7. Versicherungskarte, 8. Medikament

6

Im Jahr 2002 sind in Deutschland 8,72 Millionen Menschen nach Unfällen zum Arzt gegangen oder ins Krankenhaus gekommen. Die meisten Unfälle sind zu Hause passiert! Aber auch in der Freizeit hat es mehr Unfälle als in der Schule oder bei der Arbeit gegeben. Nur eine halbe Million Unfälle sind im Straßenverkehr passiert. Diese Unfälle waren aber leider oft sehr schwer!

7

2. muss, 3. dürft, 4. Darfst, 5. muss, 6. musst, 7. darf, 8. darf, 9. müsst, 10. müssen

8

essen	du *isst*	*Iss* öfter Fisch.
	ihr *esst*	*Esst* öfter Fisch.
	Sie *essen*	*Essen Sie* öfter Fisch.
gehen	du *gehst*	*Geh* mehr spazieren.
	ihr *geht*	*Geht* mehr spazieren.
	Sie *gehen*	*Gehen Sie* mehr spazieren.
schlafen	du *schläfst*	*Schlaf* nicht vor dem Fernseher.
	ihr *schlaft*	*Schlaft* nicht vor dem Fernseher.
	Sie *schlafen*	*Schlafen Sie* nicht vor dem Fernseher.
trinken	du *trinkst*	*Trink* jeden Tag einen Liter Wasser.
	ihr *trinkt*	*Trinkt* jeden Tag einen Liter Wasser.
	Sie *trinken*	*Trinken Sie* jeden Tag einen Liter Wasser.
nehmen	du *nimmst*	*Nimm* weniger Salz.
	ihr *nehmt*	*Nehmt* weniger Salz.
	Sie *nehmen*	*Nehmen Sie* weniger Salz.

9

2. Schlaf gut!
3. Geht öfter mal zu Fuß!
4. Essen Sie mehr Obst und Gemüse.
5. Trink nicht so viel Alkohol.
6. Nehmt vor dem Essen eine Tablette.

11

a)

Nominativ	Akkusativ
ich	mich
du	dich
er/es/sie	ihn/es/sie
wir	uns
ihr	euch
sie/Sie	sie/Sie

b)

Lisa: Hallo, *ich* (<u>Nom.</u>/Akk.) bin es, Lisa. Kennst du *mich* (Nom./<u>Akk.</u>) noch?

Ludger: Welche Lisa? Kenne ich *dich* (Nom./<u>Akk.</u>)?

Lisa: Ja, *wir* (<u>Nom.</u>/Akk.) waren zusammen auf der Schule.

Ludger: Das war vor so vielen Jahren! *Du* (<u>Nom.</u>/Akk.) weißt noch, wer *ich* (<u>Nom.</u>/Akk.) bin?

Lisa: Ja, klar! Du hattest lange Haare und warst immer mit Holger zusammen. *Ihr* (<u>Nom.</u>/Akk.) habt fast nichts alleine gemacht.

Ludger: Holger? Du kennst *ihn* (Nom./<u>Akk.</u>) also auch?

Lisa: Nicht gut, aber ich habe *euch* (Nom./<u>Akk.</u>) beide oft in der Pause gesehen.

Ludger: Tja, Holger war mein bester Freund.

Lisa: Was macht *er* (<u>Nom.</u>/Akk.) denn jetzt?

Ludger: Keine Ahnung. *Er* (<u>Nom.</u>/Akk.) ist, glaube ich, nach dem Studium ins Ausland gegangen.

Lisa: Und was machst *du* (<u>Nom.</u>/Akk.) jetzt? Bist du verheiratet?

Ludger: Ja, mit Lynn. Wir haben uns in Washington kennen gelernt.

Lisa: Du warst in den USA? Was hast *du* (<u>Nom.</u>/Akk.) da gemacht? Und wo hast du *sie* (Nom./<u>Akk.</u>) denn kennen gelernt?

Ludger: Ich war fünf Jahre an der deutschen Botschaft in Washington. Wir haben *uns* (Nom./<u>Akk.</u>) bei einem Abendessen bei Freunden getroffen.

Lisa: Das ist ja interessant. Und wo lebt *ihr* (<u>Nom.</u>/Akk.) jetzt?

Ludger: *Wir* (<u>Nom.</u>/Akk.) sind jetzt wieder in Berlin. Wir haben schon zwei Kinder!

Lisa: Du hast auch Kinder? Ich kann *es* (Nom./<u>Akk.</u>) nicht glauben! Schick doch mal ein Foto von deiner Familie ☺.

Ludger: Mach ich. Möchtest du *uns* (Nom./<u>Akk.</u>) mal besuchen? Es gibt sicher viel zu erzählen.

Lisa: Ja, ich besuche *euch* (Nom./<u>Akk.</u>) gerne mal. Wie ist eure Adresse?

12

Dialog A: a, h, f, d (Frau Moll)
Dialog B: c, e, i, g, b (der Chef)

1

Strandurlaub: 1
Rad fahren: 1, 2, 3
Ski fahren: 4
wandern: 1, 2, 3, 4
eine Stadtrundfahrt machen: 3
ein Museum besichtigen: 3
segeln: 1, 2
bergsteigen: 4

2

Die Sätze 2 und 3 sind richtig.

3

a)
1c, 2e, 3b, 4d, 5a

b)
Die Sätze 3 und 5 sind richtig. Die Sätze 1, 2 und 4 müssen korrigiert werden:
1. Die Versichertenkarte brauche ich für den Besuch beim Arzt.
2. Das Rezept brauche ich für Medikamente in der Apotheke.
4. Die Krankschreibung schickt man an die Krankenkasse.

7

a)
2. Kinderbekleidung findet man im dritten Stock.
3. Damenbekleidung findet man im ersten Stock.
4. Einen Lippenstift findet man in der Parfümerie im Erdgeschoss.
5. Ein neues Radio findet man in der Abteilung Unterhaltungselektronik im zweiten Stock.

b)
1e, 2f, 3b, 4a, 5d, 6c

Bildquellen